C000157302

Le **LIVRE** *de* **POCHE**

JEUNESSE

ÉLISABETH NAVRATIL

Son grand-père, Michel Navratil, a disparu dans le naufrage du *Titanic*. Quant à son père, il est l'un des derniers survivants de cette catastrophe… Élisabeth Navratil ne pouvait raconter qu'avec émotion l'histoire de cette tragédie qui a marqué sa famille.

Metteur en scène d'opéra – après *Carmen*, *Les Noces de Figaro*, *Don Juan*, et bien d'autres œuvres – elle aborde enfin, dans son prochain spectacle, *Mozart-Titanic*, le sujet qui lui tient tant à cœur.

LES ENFANTS
DU TITANIC

ÉLISABETH NAVRATIL

LES ENFANTS DU TITANIC

Illustrations :
Kelek

HACHETTE Jeunesse

En mémoire de
mon grand-père Michel Navratil
ma grand-mère Marcelle Navratil
mon oncle Edmond Navratil

À mon père, Michel Navratil

À mon mari, Jean-Paul Bouillon
À nos enfants, Carine et David

À ma sœur, Michèle,
et mon frère, Henri Navratil
À tous les Navratil, parents et alliés

1

Un géant des mers

Dans la rue fourmillante d'agitation qui conduit, parmi les entrepôts du port de Southampton, au quai d'embarquement sur le *Titanic*, un jeune homme de vingt-deux ans, mine grave, nez droit, teint pâle, yeux cernés, grandes moustaches frisées au fer, élégant, se fraye un chemin. C'est Michel Navratil. Il porte sur ses épaules un gamin minuscule et dans ses bras un bébé. Sans s'occuper de ceux qui l'entourent, il fixe avec une attention passionnée l'horizon proche, barré de noir, de blanc et d'ocre.

En ce petit matin du 10 avril 1912, jour du premier départ du *Titanic*, les badauds se pressent, côtoyant les prestigieux passagers de ce voyage inaugural célébré par toute la presse mondiale. Milliardaires anglais et américains, élégantes serrant contre elles leur manchon de fourrure d'où dépasse la tête chagrine d'un pékinois ou d'un loulou de Poméranie, journalistes célèbres, artistes de spectacle, industriels allemands se font ouvrir la route par leurs valets et leurs femmes de chambre, feignant d'ignorer les regards avides dont ils font l'objet. C'est que tant de personnes, parmi les spectateurs, rêvent d'un voyage aux États-Unis d'Amérique sur le plus beau bateau du monde !

Dressée à une centaine de mètres de Michel, menaçante, une muraille de fer, rouge à sa base, ensanglantant la mer au-dessous de la ligne de flottaison, puis noire, sur plusieurs dizaines de mètres, percée d'orifices à intervalles réguliers, masque le ciel tout entier. Lorsqu'il lève la tête, Michel distingue une large bande ocre et, plus haut encore, une autre, blanche, immense, étincelant au soleil, dominant tous les entrepôts du port. Un mugissement colossal retentit, à dix reprises. Dans les bras de Michel, le bébé Edmond sursaute. Il a tout juste deux ans, une figure ronde, des cheveux bruns bouclés, un petit corps potelé. Ses yeux noirs, emplis de désarroi, cherchent en vain un repère, un visage connu. Michel serre un peu plus contre lui le tout-petit qui se calme.

Sur ses épaules, son fils aîné Michel, surnommé Lolo, regarde avec saisissement cette immense chose sans nom, inoubliable, haute comme les gratte-ciel de son livre sur l'Amérique. En même temps, il appuie sur ses oreilles puis relâche la pression, le mugissement des sifflets vient de cesser. L'enfant, chevelure sombre, frisée, plus claire sur le front, regard brun concentré, peau mate, visage ovale, s'absorbe avec passion dans ces sensations fortes, en communion avec son père.

Michel reste encore un moment immobile, à jouir du spectacle qui l'entoure, îlot stable au centre de la masse humaine qui déferle autour de lui. Il observe ses voisins. Pourtant accoutumé à la riche clientèle de son salon de couture à Nice, il n'a jamais vu tant de visons, de renards argentés, de plumes, de hauts-de-forme, tant de célébrités réunies mêlées aux centaines de curieux venus assister à l'événement du siècle. Partout, des petits trains de bagages de luxe se frayent un chemin. Une senteur marine au fumet un peu âcre de poisson, d'iode et d'algue fraîche, dépayse ses narines, accoutumées aux odeurs plus discrètes de la Méditerranée.

Enfin le grand moment est arrivé. Michel va laisser derrière lui un passé dont il ne veut plus. L'Amérique et ses promesses de vie nouvelle l'attendent au bout du voyage.

Soudain un éclat de voix s'élevant au-dessus du charivari ambiant attire son attention. Un homme d'une soixantaine d'années encerclé d'une horde de reporters qu'il dépasse d'une bonne tête. Stead, le célèbre journaliste anglais connu pour avoir, à lui seul, obtenu la destitution d'un ministre, vocifère :

« Jamais le *Titanic* n'arrivera à destination. Souvenez-vous du *Titan*, le bateau imaginé par Morgan

Robertson, il y a quatorze ans, dans son roman, ce navire démesuré, luxueux hôtel flottant, insubmersible selon ses constructeurs. "Même Dieu ne pourrait couler ce navire", annonce la White Star Line à propos du *Titanic*, son dernier-né. C'est un blasphème! L'homme, ivre de sa nouvelle puissance technologique, se croit l'égal de Dieu. Mais je vous le dis, comme le *Titan*, le *Titanic* n'arrivera jamais à New York. »

Friands d'anecdotes piquantes, les journalistes boivent ses paroles. Encore un bel article en perspective!

Michel Navratil, désagréablement impressionné, continue son chemin, se laissant emporter par le flux humain. Mais il ne peut s'empêcher de frémir intérieurement. Ce douloureux passé qu'à l'instant précédent il voulait oublier ressurgit, avec sa cohorte de souffrances. Comme si cet arrachement à sa nouvelle patrie, la France, n'était pas suffisamment pénible, comme si le regret du malheur laissé derrière lui n'était pas assez cuisant. Il faut encore que cet oiseau de malheur vienne assombrir l'espérance du bonheur en Amérique! Michel s'arrête, comme pétrifié, laissant la foule autour de lui s'écouler comme un grand fleuve. Il hésite, il aimerait rebrousser chemin. Mais Lolo s'impatiente et tire son père par la main. Michel se remet en route, furieux de ce moment de lâcheté, longeant le *Titanic* qui les écrase de toute sa masse sombre.

Le géant des mers s'étend à perte de vue, long de deux cent soixante-dix mètres à la ligne de flottaison. Impossible d'apercevoir d'en bas les quatre cheminées qui dominent, à cinquante mètres au-dessus d'eux, superbement obliques, inclinées vers la poupe. Le *Titanic* offre les mêmes proportions qu'un immeuble de onze étages qui s'étendrait sur plus d'un quart de kilomètre! Perçant la muraille noire, des centaines de hublots partent en lignes de fuite vers l'horizon.

« Qu'est-ce que c'est, papa? demande d'un ton inquiet Lolo, incapable d'identifier la nature de ce spectacle qui l'impressionne vivement.

— C'est le *Titanic*, le géant des mers dont je vous ai parlé, il nous conduira à New York, de l'autre côté de l'océan. »

Michel sent que ce bateau est un symbole. Tout à son admiration et à sa fierté de faire partie des heureux privilégiés, passagers du *Titanic* pour son premier voyage[1], il en oublie ses craintes. Il dépose Momon et Lolo sur le sol et tous trois arpentent le quai inondé de soleil, s'amusant au passage du spectacle offert par les riches personnages déjà entrevus dans le train-paquebot qui les a conduits de Londres à Southampton. En effet ces derniers ne sauraient se déplacer sans une armada de domestiques, secrétaires, gouvernantes et conseillers privés

---

1. Ce voyage inaugural du *Titanic* s'inscrit dans une vaste opération publicitaire de la White Star Line dont le propriétaire, le financier américain Pierpont Morgan, a édifié un vaste empire sur l'acier. Le *Titanic* a été financé, comme son jumeau l'*Olympic* frété deux ans plus tôt, par des capitaux américains, mais pavillon et équipage demeurent britanniques. Les deux vaisseaux, avec leurs 46 000 tonnes, doivent, dans l'esprit de leur constructeur et de Lord Ismay, le président de la White Star Line, rivaliser avec le *Mauretania* de la Cunard, plus léger de 14 000 tonnes, et plus court de trente mètres.

qui pourraient à eux seuls peupler un paquebot de dimensions plus ordinaires et qui virevoltent autour de leurs maîtres dans la plus grande confusion.

Un joyeux remue-ménage règne dans le port. Des dizaines de grues chargent les bagages privés et les centaines de tonnes de provisions dont on aura besoin au cours du voyage. Michel, qui a lu attentivement les prospectus reçus à Monte-Carlo au moment de l'achat des billets, explique à ses fils que le *Titanic* doit embarquer, pour nourrir les deux mille deux cents vingt-deux personnes transportées, soixante tonnes de bœuf, vingt tonnes de pommes de terre, dix tonnes de légumes, cinq cents kilos de saucisses, deux cent cinquante kilos de thé, quarante mille œufs, six cents pots de confiture, douze tonnes de poisson, deux cent cinquante kilos de bananes, vingt kilos de saumon fumé, trois tonnes d'agneau, deux mille cinq cents volailles, six mille bouteilles de vin, trois mille bouteilles d'alcool, six mille litres de bière et quatre mille litres de lait!

Tout en l'écoutant, Lolo observe, très intéressé, le chargement des sacs de pommes de terre à quelques mètres de là. Échappant un instant à l'attention de son père, il s'approche du stock qui s'amoncelle sur le sol et s'assied sur l'un des sacs pour mieux observer la manœuvre. À ce moment précis, Lolo se sent soulevé dans les airs et se cramponne au câble de traction. Les ouvriers l'aperçoivent aussitôt.

« Regardez l'acrobate!

— C'est un sacré farceur, ce môme-là! »

Les ouvriers inversent aussitôt la manœuvre et le sac redescend doucement. Lolo en est quitte pour la peur et une petite voltige de cinq mètres. Mais Michel, pas encore remis de son émotion, le saisit assez rudement par la main et l'entraîne sans mot dire vers le point d'embarquement qui lui a été assigné.

Heureusement que les bagages ont été envoyés séparément car la foule dense rend l'accès au paquebot extrêmement ardu. Michel a hissé Edmond sur ses épaules, tenant d'une main billets et passeports, de l'autre Lolo qui croit étouffer au milieu de tant de gens si grands qu'il ne distingue même pas leur visage au-dessus de lui.

Enfin, l'on parvient à gravir les marches d'accès à la passerelle d'où l'on domine la foule des curieux. La plupart des passagers laissent sur le quai des parents ou des amis qui agitent la main en signe d'adieu. Mais personne ne s'adresse aux trois Navratil. Michel se sent isolé, perdu. Aucune de ses connaissances n'est au courant de ce voyage dans lequel il entraîne inconsidérément ses deux petits enfants. Et s'il lui arrivait quelque chose?

De nouveau la file s'immobilise. Pour occuper le temps, Lolo raconte une histoire à Momon que Michel a posé à terre, près de son frère. À côté de Michel, une femme d'une quarantaine d'années dissimule difficilement son émotion. Soudain des cris perçants retentissent à quelques mètres au-dessous d'eux, sur le quai. Une adolescente de quatorze ans s'arrache à son père, fend la foule, gravit la passerelle en bousculant tout le monde et rejoint la voisine de Michel.

« Ne pars pas, maman, je sais que tu ne reviendras pas, vous allez tous mourir, le bateau va couler ! »

Mme Hoghes serre sa fille dans ses bras et tente de la calmer. Elle vient d'être engagée par la White Star Line comme femme de chambre sur le *Titanic* où elle recevra un salaire beaucoup plus intéressant que sur le *Mauretania* où elle avait travaillé jusqu'ici. Mais sa fille de quatorze ans, Rosalind, est convaincue que ce voyage lui coûtera la vie.

« Maman, je ne peux pas te laisser partir sans t'avoir raconté mon rêve ! Il faut que tu m'écoutes !

— Parle, ma fille ! » dit Mme Hoghes en essuyant tendrement les larmes qui inondent les joues de l'enfant.

Alors vient ce récit, entrecoupé de larmes :

Deux jours plus tôt pourtant, le dimanche de Pâques, Rosalind faisait la sieste quand elle se vit en rêve à la fenêtre de sa chambre qui donnait sur Trenthampark, à Londres. Un immense vaisseau surgissait lentement du sol. Rosalind distinguait clairement une grande foule en proie à la panique, courant d'un bord à l'autre du bateau. Elle percevait les hurlements et les pleurs des enfants. Puis le vaisseau prit de la gîte. Il régnait alentour un silence absolu sur lequel les cris de détresse se détachaient avec autant de netteté que des ombres chinoises sur un drap blanc. Pas un souffle de vent mais une vibration de la lumière comme il s'en produit à la montagne, sous les étoiles, par une nuit froide et sans lune. Subitement un craquement atroce retentit, le paquebot géant se brisa net en son centre tandis que les gens à la surface étaient balayés dans l'abîme et que tous les objets qu'il contenait se déversaient avec un bruit d'enfer. L'avant fut instantanément englouti par le sol tandis que l'arrière se dressait vers le ciel en effigie tragique. Il resta quelques instants immobile puis s'enfonça rapidement dans la terre entrouverte du square, écrasant buissons et arbres sur son passage. Rosalind se réveilla terrifiée sans oser toutefois supplier sa mère de renoncer à ce voyage.

Maintenant qu'elle a pu enfin s'exprimer, Rosalind attend avec anxiété une réponse. Mme Hoghes tente de la réconforter :

« Mais ce n'est qu'un rêve, ma chérie, il n'y a pas de quoi te mettre dans un tel état! Sois tranquille, il ne m'arrivera rien! »

Désespérée de n'avoir pas réussi à la convaincre du danger qu'elle courait, Rosalind tire sa mère par la main de toutes ses forces pour l'obliger à redescendre avec elle sur le quai. M. Hoghes, qui a assisté d'en bas à la scène, est contraint de venir arracher Rosalind aux bras de sa femme qui semble vivement impressionnée par le pressentiment de leur enfant. Son ton de conviction, l'intensité de sa douleur, cette séparation brutale l'ont bouleversée. Mme Hoghes fouille nerveusement dans son sac et se mouche bruyamment sans parvenir à dissimuler son trouble.

Michel n'a pas pu éviter d'écouter le récit de la jeune fille. Inquiet, il observe Lolo, occupé à raconter à Momon une aventure de Little Nemo, son héros favori. Pourvu qu'il n'ait rien entendu!

Les pleurs de Rosalind, son rêve si spectaculaire ont vivement impressionné le jeune père. Et si la petite avait raison ?

Michel s'interroge comme il l'a fait à plusieurs reprises depuis son départ de Nice. Et si son faux passeport était déjà signalé au service d'immigration ? « Est-ce bien le grand départ, se demande-t-il en gravissant l'escalier d'accès au *Titanic*, ou bien vais-je devoir subir un contrôle de police qui m'amènera droit en prison ? » Non, ce serait trop horrible. Michel frissonne. Il hisse à nouveau sur ses épaules Momon qui s'accroche à ses cheveux.

« Papa, demande soudain une petite voix craintive qui doit pourtant crier pour se faire entendre, pourquoi est-ce que la demoiselle a tant pleuré avec sa maman ? Est-ce que nous allons vraiment tous mourir ? »

Ainsi, malgré les apparences, Lolo avait écouté le récit de Rosalind. Michel serre encore plus fort la main de son fils et le rassure : personne ne va mourir, le *Titanic* est insubmersible.

Pendant ce temps, Lolo s'est abîmé dans ses pensées. L'idée de la mort est familière aux petits enfants. Lolo croit très profondément à ce que lui a dit sa mère : après la vie, il y a une nouvelle vie, encore plus belle, plus près de Dieu. La mort n'est qu'une porte à franchir vers l'autre monde. Lolo n'a pas peur de mourir. Mais à son âge, l'absence des parents est angoissante. L'idée qu'ils pourraient disparaître à jamais surgit vite. L'idée de sa propre mort est une chose. La mort des êtres chers en est une autre. Tout à coup, Lolo est saisi d'anxiété : il n'était encore jamais resté si longtemps séparé de sa mère. Peut-être est-elle morte puisqu'elle n'est pas là? Une nostalgie intense l'envahit.

« Maman, maman, où es-tu? J'ai tant besoin de toi! »

Michel, ému, se penche vers lui.

« Voyons, ne t'inquiète pas, maman se porte très bien, tu la reverras bientôt. »

« Voilà, se dit-il aussitôt, je suis encore en train de lui mentir! » Son idée fixe le reprend : partir, éloigner les enfants de l'emprise maternelle. Que l'océan les sépare à jamais de Marcelle! Seigneur, pourquoi le *Titanic* traîne-t-il tant à appareiller? Michel regarde autour de lui. On n'avance plus. L'organisation laisse décidément à désirer.

Michel ne supporte plus cette attente. Il a soudain le sentiment qu'il lui faut révéler son imposture, raconter son secret à ses voisins anonymes et indifférents plutôt que supporter un instant de plus ce piétinement sur place. « On dirait que je deviens fou, ce doit être l'anxiété », pense-t-il. À ce moment précis, la file se remet à avancer et Michel gagne deux, trois, quatre places et un peu d'espace vital. Soudain il sent la petite main de Lolo presser à son tour la sienne. Il baisse la tête. L'enfant lui sourit à travers des larmes qui n'ont pas encore séché. Michel lui rend son sourire. Non, il n'est pas seul, l'enfant est là, son bien le plus cher avec l'autre, le tout-petit. Cela lui redonne du courage. Il se sent prêt pour ce voyage dans lequel il met tout son espoir…

2

Une ville flottante

« Votre passeport, monsieur, s'il vous plaît! »

Michel, parvenu en haut de la passerelle, tend son passeport et les trois billets de seconde classe qui lui sont réclamés pour l'embarquement. Hanté par la peur d'être démasqué, il regarde sans les voir les sous-officiers qui contrôlent l'identité et les billets des passagers. L'un d'eux s'éloigne avec son passeport, pour vérification! Michel s'appuie au parapet, la tête lui tourne. Il s'attend au pire : son stratagème va être découvert!

Lolo, fasciné par l'uniforme marine et blanc, ne quitte plus les sous-officiers des yeux. Soudain il perçoit des vibrations, un grondement sourd venus des flancs du grand navire. Il questionne en vain son père, trop tendu pour lui prêter attention, le tire à plusieurs reprises par la manche et finit par obtenir une réponse : ce sont les machines du *Titanic* que l'on vient de mettre en route.

Maintenant, le temps lui dure. Pourquoi reste-t-on planté là? Derrière eux, les gens se pressent, impatients. L'enfant regarde son père qui ne semble pas se sentir très bien. Sa main tremble, Lolo ne l'a encore jamais vu ainsi. Mais bientôt, son attention est attirée par les premières mesures d'une valse venue de très haut qui descendent en tourbillonnant jusqu'à lui. Lolo ferme les yeux, il se revoit au salon de thé de l'hôtel Negresco, à Nice, en compagnie de sa mère qui l'emmenait parfois goûter en tête à tête. Souvenir précieux qui réveille brutalement sa nostalgie à peine endormie. C'est l'orchestre engagé par la White Star Line pour ce voyage inaugural du *Titanic* qui donne son premier concert sur le pont supérieur pour accueillir les passagers.

Michel, tout à son anxiété, ne tient pas en place, regarde le quai, les gens, ses enfants, prend Edmond dans ses bras, le repose, fouille dans son portefeuille. Sans raison. Enfin, le sous-officier revient et lui tend le passeport avec un grand sourire, ainsi que les billets.

« Bienvenue à bord du *Titanic*, monsieur Hoffmann ! Nous vous souhaitons un heureux voyage ! »

Ce nom d'Hoffmann résonne comme une musique

céleste aux oreilles de Michel : le sous-officier ne s'est aperçu de rien! Au même moment, un autre sous-officier se penche vers les enfants et tend à Momon un modèle réduit du *Titanic*. Il caresse les cheveux du petit Edmond, si heureux de ce cadeau imprévu et donne à Lolo une superbe Bugatti en miniature. Mais Michel, peu désireux de s'attarder, murmure un simple merci et entraîne vivement ses enfants par la main. Les trois Navratil, le père et les deux fils, embarquent enfin à bord du *Titanic*.

D'abord surpris d'une telle hâte, Lolo court bientôt plus vite que son père qu'il semble tirer derrière lui. Un steward les a pris en charge et les conduit à travers un invraisemblable dédale d'escaliers et de couloirs. Dix étages à grimper sur le bel escalier en bois de teck des troisièmes classes à l'avant du bateau et l'on débouche sur le pont des embarcations, tout en haut du navire. Le steward parcourt l'immensité de ce pont à l'air libre, suivi de la petite famille, que le spectacle des immenses cheminées enfin découvertes impressionne vivement. Toute la force motrice du géant des mers semble concentrée dans ces panaches de fumée aux volutes grises. Lolo tire la manche de Michel : la quatrième cheminée ne fume pas. Le steward explique qu'elle n'a qu'une fonction décorative.

Lolo s'intéresse aux chaloupes suspendues à des treuils au-dessus d'eux. Il se fait expliquer la manœuvre de sauvetage, comment on accroche chaque canot aux immenses bossoirs[1] avant de les affaler à la mer.

Les voici maintenant devant une sorte de maisonnette blanche aux fenêtres cintrées. La porte conduit au domaine des secondes classes. Curieusement, on redescend trois étages par le superbe escalier décoré dont les marches sont recouvertes d'un velours rouge qui étouffe le bruit des pas. Les rampes de bois ciré empruntent une trajectoire compliquée, avec des volutes et des courbes très travaillées.

« Vous êtes logés au pont D, monsieur Hoffmann. Vous occuperez une cabine pour deux personnes dans laquelle je dresserai un lit supplémentaire pour le plus petit garçon. »

Dans les couloirs et sur les marches d'escalier, un épais tapis rend la marche aisée. Les portes des cabines, en bois clair, alternent avec de grands miroirs.

Le steward s'est arrêté devant le 26.

« Vous voici chez vous ! dit-il en ouvrant la porte toute grande. Permettez-moi de vous précéder ! »

Michel se sent délivré du poids qui l'oppressait depuis dimanche. Il va droit à la fenêtre, celle du centre, et ouvre le hublot d'un diamètre de soixante-quinze centimètres qui, vu d'en bas, paraît minuscule. Mais tout ici est gigantesque en comparaison du *Fécamp* qui a conduit les Navratil de Calais à Douvres.

---

1. Les bossoirs servent à accrocher les bateaux de sauvetage qui, en cas de nécessité, sont affalés à la mer c'est-à-dire descendus au moyen de treuils.

Accoudé au hublot, Michel revit le voyage des deux jours précédents. Le départ secret de Nice, les rideaux tirés du compartiment, les terribles angoisses chaque fois que l'employé des chemins de fer ouvrait la porte pour proposer ses services. À chaque instant il s'attendait à être arrêté par des policiers en uniforme ou en civil pour usurpation d'identité et rapt d'enfants !

Le dimanche de Pâques, 8 avril, Michel avait déjeuné comme toujours avec ses deux fils chez leurs amis Michel et Emma Hoffmann. Au moment du café, il avait, sous un prétexte quelconque, prié Hoffmann de lui prêter son passeport. Après une promenade dans les bois, au-dessus de Cimiez, les Navratil avaient pris congé. Mais au lieu de raccompagner les enfants chez leur mère, Michel les avait conduits directement à la gare, avait retiré de la consigne les bagages qu'il avait soigneusement préparés en vue d'un très long voyage et tous trois avaient pris l'express de nuit Nice-Londres, via Calais. Michel laissait Nice pour toujours. Sans un mot d'explication, il abandonnait sa femme. Il usurpait l'identité de son meilleur ami pour échapper à d'éventuelles poursuites. Il allait refaire sa vie en Amérique.

L'arrivée à Calais avait été source de nouvelles angoisses, Michel, terrifié à l'idée que le véritable Hoffmann avait peut-être signalé à la police l'emprunt de son passeport, craignait une arrestation. Il avait entraîné en toute hâte ses enfants sur le *Fécamp*, bateau qui les mènerait à Douvres où ils retrouveraient l'express pour Londres. Après une nuit de repos, ils prendraient le train-paquebot qui devait conduire à Southampton les passagers du *Titanic*. Michel comptait ainsi brouiller les pistes. Il aurait pu en effet, beaucoup plus simplement, se rendre directement à Cherbourg où le *Titanic* ferait escale avant sa traversée de l'Atlantique Nord.

Après un départ sans histoires, le vent avait forci et les enfants avaient été malades. Sans arrêt Michel courait au bastingage et se penchait avec l'un des garçons au-dessus de cette mer noire, devenue hostile. Enfin Lolo et Edmond s'étaient endormis. Mais leur malaise avait gagné Michel. Prostré, il avait attendu que cela passe, pauvre chose travaillée par un dégoût qui terrassait son corps et anesthésiait son esprit. Puis, la mer calmée, la lumière revenue s'était mise à jaillir de chaque gerbe d'écume, s'éparpillant en mille petits éclats cristallins. Michel s'était senti renaître à la vue de la dentelure des falaises anglaises, des pentes herbues qui s'amollissaient vers le rivage et se rapprochaient à vue d'œil. Mais il lui sembla apercevoir sa femme Marcelle les attendant sur le rivage, effigie tragique et blême, les bras tendus vers ses enfants. Michel ferma les yeux mais rien n'y fit, l'hallucination demeurait. Le remords qui le rongeait sourdement se fit plus cuisant. Quels qu'aient été les torts de Marcelle, il n'avait pas le droit de lui infliger un tel martyre. Il se félicitait d'avoir arraché les enfants à son influence, mais l'abandonner ainsi sans nouvelles, quelle cruauté!

Le voyage en train et la nuit à Londres ne réussirent pas à débarrasser Michel du fantôme de Marcelle :

c'est Londres qui avait marié le jeune couple puisque Nice refusait de les unir, Marcelle et lui, des travailleurs immigrés sans certificat de naissance! Jamais il n'oublierait leur lune de miel dans ce même petit hôtel londonien où tous trois venaient de passer la nuit. Si seulement le bonheur d'alors ne s'était pas enfui si vite!

Mais bientôt les cris de joie des enfants ramènent Michel dans le présent. Il ferme le hublot et se tourne vers ses fils. Momon joue avec sa maquette du *Titanic* sans s'occuper de ce qui l'entoure, mais Lolo regarde avec enthousiasme la spacieuse cabine qui leur a été attribuée.

Elle offre le confort d'un hôtel de grand luxe. Les lits de bois d'acajou aux matelas moelleux ont des formes serpentines bien caractéristiques de ce début de siècle. À la fenêtre pendent d'épais rideaux imprimés de fleurs aux couleurs automnales. L'enfant pénètre dans le cabinet de toilette et admire le lavabo de faïence blanche où s'entrelacent en longues tiges des motifs de lis martagons. Sur les étagères s'alignent des savons aux formes variées, parfumés aux fleurs de Nice, des tubes de pâte dentifrice, des verres ballon. Les serviettes de toilette, douces, épaisses, fleurant la lavande, garnies de longues franges et marquées *Titanic*, invitent à la détente. Un vitrail sépare le cabinet de toilette du reste du compartiment que Lolo vient d'éclairer à l'électricité[1]. Momon lève les yeux et rejoint son

---

1. L'électricité à bord des cabines d'un transatlantique était encore rare.

frère. Son regard s'illumine, il rit aux éclats en admirant le vitrail : sur un cours d'eau aux nombreux méandres glisse un cygne blanc, solitaire. À l'arrière-plan, l'on distingue une famille de canards du Japon, les mâles blond, doré et rouge, la tête huppée de vert comme un paon, et les femelles pailletées de brun et de jaune, aux plumes ourlées de noir ou de blanc. Le ruisseau serpente à travers une large forêt plantée d'arbres au tronc lisse et clair, aux feuilles luisantes, d'un vert émeraude, presque aquatique, entre lesquelles s'épanouissent de mystérieux fruits écarlates. Lolo, fasciné, lui aussi, prend son frère par la main et tous deux restent, envoûtés, devant la féerique image. Soudain Momon s'arrache à sa contemplation, saisit sa maquette du *Titanic* et court de ses minuscules jambes jusqu'au canapé recouvert d'une tapisserie à fleurs sur lequel il se hisse et se vautre avec de petits cris de satisfaction.

Il semble à Michel que trois heures, au lieu d'une, se sont écoulées depuis l'embarquement. Lolo a approché une chaise du hublot, écarté le rideau de mousseline, et il regarde le quai. Il est neuf heures. On vient de retirer les passerelles. Le grand moment du départ est enfin arrivé. Au même moment, un groupe de chauffeurs arrive en courant et agite frénétiquement les bras.

« Papa ! Viens voir ! »

Michel ouvre le hublot et se penche un peu en tenant Lolo contre lui.

« Attendez-nous ! Attendez-nous ! »

Ce sont des ouvriers chauffeurs arrivés juste après que l'officier a ordonné le retrait des passerelles. Il se penche vers eux et s'écrie :

« Une demi-heure de retard! Vous pouvez rentrer chez vous, nous nous passerons de vos services. Pas de paresseux à bord du *Titanic*! »

Sur le quai, les chauffeurs supplient, implorent, certains gesticulent violemment, mais en vain. Le *Titanic* partira sans eux. Certains s'éloignent lentement, d'autres vocifèrent, le poing levé, et une patrouille de surveillance les entraîne loin du bateau. Aucun d'entre eux ne se doute que ce retard va leur sauver la vie.

Le grondement sourd qui a frappé Lolo au moment où il franchissait la passerelle s'est plutôt atténué, et cependant l'on sent une vibration, oh! très légère, animer les cloisons d'un imperceptible battement de cœur. Assis sur un fauteuil, Lolo sur les genoux, Michel relit le prospectus publicitaire de la White Star Line qu'il traduit de l'anglais à voix haute. Le *Titanic* est le plus grand de tous les navires ayant jamais existé : deux cent soixante-dix mètres de long, vingt-huit mètres de large, dix-huit mètres et demi de la surface de l'eau au pont supérieur, et cinquante-trois mètres de la pointe de la quille au sommet des cheminées. Il est haut comme une maison de onze étages, et long comme une rue. Une seule de ses hélices pèse vingt-deux mille kilos et il jauge quarante-six mille trois cent vingt-huit tonnes! Il abrite une ville entière, avec ses maisons, ses magasins, son théâtre, ses cafés, ses restaurants, son casino et deux mille deux cents vint-deux personnes, dont six cent quatre-vingt deux membres d'équipage et personnel de bord.

Cette idée fait rire Lolo qui a écouté son père avec intérêt. Il réfléchit en silence, puis il demande à brûle-pourpoint :

« Comment s'appelle le capitaine?

— Le capitaine Smith! Nous le croiserons certainement lors d'une promenade!

— Oh! sortons tout de suite! Nous allons peut-être le rencontrer. »

Michel consulte sa montre. Bientôt dix heures! Le *Titanic* ne tardera plus à appareiller. Au même moment, le steward frappe à la porte, chargé du lit pliant d'Edmond qu'il installe près de celui de Lolo. Le tout petit garçon est jusqu'ici resté silencieux, absorbé par son *Titanic* modèle réduit auquel il a fait parcourir en tout sens l'océan du moelleux canapé. Il peut jouer durant des heures entières avec ses petites voitures à chevaux ou automobiles sans jamais se lasser de ses voyages imaginaires! La vue du petit lit l'arrache à son occupation et il en prend aussitôt possession tandis que Michel passe à la salle de bains et s'examine dans le miroir. Soigneusement, il taille sa moustache, supprime la raie de côté et ramène ses cheveux en arrière. Sa barbe de plusieurs jours le métamorphose. Il coiffe un chapeau melon très britannique et regarde l'effet produit dans la glace. Il se sent différent, capable d'assumer sa nouvelle identité. Juste à ce moment, le steward frappe à la porte : il propose une visite du *Titanic* organisée pour les passagers de seconde classe. Les Navratil lui emboîtent le pas. Lolo et Momon ne cessent de poser des questions au steward qui répond de son mieux.

Un court silence. L'employé s'est arrêté pour attendre un petit groupe de passagers logés dans les cabines voisines qui suivront la même route qu'eux : un couple d'Américains, M. et Mme Caldwell et leur bébé et une jeune fille italienne, Mirella Cesarese à laquelle un gentleman anglais a offert son bras, comme il est d'usage sur les transatlantiques où toute femme non accompagnée se voit attribuer un chevalier servant. La jeune personne semble très à l'aise, elle rit de bon cœur devant les efforts de son cavalier pour engager la conversation en italien, alors qu'elle parle parfaitement l'anglais. Elle secoue ses longues boucles brunes.

« *Dio, che bei bambini !* s'exclame-t-elle à la vue de Lolo et Momon

— *Buon giorno, signorina !* répond Michel.

— *Lei permette ?* »

Et sans attendre sa réponse, elle se penche, embrasse les deux petits et prend le bébé dans ses bras.

La petite troupe qui ne cesse de s'agrandir chemine maintenant dans le ventre du *Titanic* sous la conduite du steward. Au début, l'on suit le même chemin qu'à l'arrivée, mais en sens inverse. La moquette est toujours aussi moelleuse, l'escalier conduisant au pont supérieur aussi large et somptueux, avec son chérubin de bronze qui monte la garde au bas de la rampe. Aucun autre transatlantique n'offrirait pareil luxe à des passagers de deuxième classe. L'*Olympic* lui-même n'est pas aussi luxueux, puisque les sols sont revêtus d'un vulgaire linoléum. C'est ce que Michel explique à ses petits garçons :

« Voyez comme tout cela est beau ! Eh bien, nous ne sommes qu'en deuxième classe. En première, la richesse de la décoration est telle que vous ne pouvez même pas l'imaginer !

— Qui loge en première classe ? interrompt Lolo.

— Tous ceux qui ont beaucoup d'argent à dépenser.

— Ah oui ! Comme la belle dame qui m'a consolé dans le train, lorsque je suis tombé !

— Quelle belle dame ? Tu ne m'as rien raconté !

— Je courais dans le couloir et je suis tombé devant la porte de son compartiment au moment où elle sortait. Comme je m'étais fait mal, elle m'a aidé à me relever et m'a fait entrer chez elle, et c'était presque aussi beau qu'ici, dans notre cabine. Elle m'a donné des chocolats, j'ai même pu en rapporter à Momon, et quand je suis parti, elle m'a embrassé.

— Tu ne sais pas comment elle s'appelle ?

— Non, je ne comprenais pas ce qu'elle disait. Elle parlait anglais, comme Charles, avec un vieux monsieur qui avait l'air de l'aimer beaucoup. Je voudrais bien la revoir ! »

Cependant, la visite se poursuit.

« Nous voici à la hauteur du pont B, commente le steward, et vous voyez à votre droite le fumoir et les bars, à votre gauche un restaurant à la carte qui vous est accessible. Vous disposez également à cet étage d'une promenade couverte qui vous est réservée. La salle à manger à proprement parler est située au pont D, et vous trouverez au pont C une bibliothèque vaste et bien fournie. Comme vous n'avez pas accès au pont A, nous allons monter directement au pont supérieur. Nous arriverons sans doute pour l'appareillage. Ces messieurs les journalistes viennent de quitter le bateau ! »

Une foule animée se presse sur le pont-promenade, et Michel a du mal à gagner le bastingage. Les enfants crient d'excitation, ils craignent d'arriver trop tard pour assister au départ. Les remous provoqués par les trois gigantesques hélices qui tournent pourtant à très bas régime font rejaillir l'eau jusque sur les badauds serrés le long du quai, qui reculent en riant. Les cheminées envoient vers le ciel un jet de vapeur digne d'un volcan et laissent échapper à intervalles réguliers un mugissement équivalent à celui de vingt cornes de brume résonnant toutes ensemble. En Michel grandit un merveilleux sentiment de libération. Il ne céderait pas sa place pour un empire.

Il observe attentivement le pont inférieur où a lieu la manœuvre. À bâbord comme à tribord, un groupe de matelots larguent les amarres. Des officiers vont et viennent, criant des ordres parfois contradic-toires[1].

Cela n'empêche naturellement pas la manœuvre de s'effectuer tant bien que mal et, bientôt, l'on se trouve au milieu du chenal. Les Navratil l'observent avec un intérêt passionné. Tout en bas, sur l'eau, de minuscules flottilles dansent. La poupe – que les enfants prennent pour la proue car le transatlantique se déplace encore à reculons – est précédée par deux remorqueurs qui paraissent si ridiculement petits que les enfants ne parviennent pas à croire que ce sont eux qui tirent le navire.

« Il y a deux remorqueurs à la proue, explique Michel. Si le *Titanic* faisait tourner ses machines à plein régime, il coulerait tous les bateaux alentour! »

Au même instant, la première grande vague re-foulée par la monstrueuse coque du navire par-vient aux quais d'embarquement.

« Là-bas! L'eau déborde! » crie Lolo.

En effet, des lames s'abattent, aspergeant, ren-versant même la foule qui court se mettre à l'abri. Plusieurs navires ancrés à quai rompent leurs amarres, les lourdes chaînes balaient l'espace et

---

1. Il règne, dans l'équipe dirigeante, un certain malaise et une confusion quant à la répartition des pouvoirs, car la majeure partie de l'équipage n'a pris ses fonctions qu'une semaine avant le départ et se trouve perdue sur un vaisseau aux proportions cyclopéennes. Aucun des officiers supérieurs n'a l'expérience des manœuvres sur un aussi grand bateau. Pas même le capitaine. La White Star Line n'a pas jugé utile d'offrir aux officiers du *Titanic* la forma-tion qui leur aurait été nécessaire pour le contrôle correct d'une machine aussi gigantesque.

c'est un miracle que personne ne soit blessé ni tué. Mais les enfants sont trop éloignés pour se rendre compte du danger.

Il semble à Lolo que le *Titanic* ralentit son allure, oui, qu'il s'arrête.

« Que se passe-t-il? Nous n'avançons plus! »

Mais, la manœuvre terminée, l'on se remet en route. Maintenant, le *Titanic* se déplace en marche avant. Michel montre à Lolo les troisièmes classes aux deux niveaux inférieurs E et F, ainsi que les premières, au centre du bateau où l'on ressent moins les effets du tangage et du roulis. Lolo s'indigne de voir les pauvres relégués au niveau de la flottaison, tout près des machines.

« Les émigrants qui partent vivre avec leur famille aux États-Unis sont beaucoup mieux logés en troisième classe sur le *Titanic* que sur les autres transatlantiques où ils sont très mal traités et pour le même prix qu'ici, explique Michel. Figure-toi qu'on les entasse souvent sur un pont juste au-dessus du niveau de l'eau, tout près des machines. Il règne un bruit abominable, les murs vibrent de manière insupportable. La nuit, on couche par terre, en plein air ou on s'entasse dans une petite salle empuantie. Pas d'eau pour se laver, très peu de cabinets d'aisance. On sert une nourriture infecte dans des gamelles, la plupart du temps sans couverts. Les émigrants font la queue comme à la soupe populaire.

— Mais c'est affreux, cela, papa!

— Tandis qu'ici chacun a sa cabine particulière,

sa place à la salle à manger où on lui sert de l'excellente nourriture. Les troisièmes classes disposent aussi d'un pont-promenade, d'un salon où se réunir et d'un fumoir, bref, de tout le confort de première classe, en plus petit et en moins luxueux.

— J'aimerais tant visiter tout ça !

— Mais oui, Lolo, nous irons dès demain ! »

Lentement, imperturbablement, le *Titanic* poursuit sa route le long du chenal de Southampton. Arrivé à la hauteur de deux navires de ligne qui se trouvent ancrés non loin de là, l'*Oceanic* et le *New York*, le commandant Smith donne l'ordre de mettre les turbines en action. Mais il a mal évalué les conséquences des remous provoqués par la rotation des hélices. Ces dernières qui, jusqu'ici, n'ont tourné qu'au ralenti, provoquent un tel raz de marée que le *New York* rompt ses amarres et se dirige droit sur le *Titanic*. Terrorisés, les enfants voient arriver sur eux le navire à la dérive que son équipage, en pleine panique, ne parvient plus à maîtriser.

« Le petit bateau va heurter le nôtre ! » s'écrie Lolo.

Sans répondre, Michel prend ses fils dans ses bras et, l'œil hagard, contemple le *New York* en détresse qui, effectivement, fond droit sur eux. Autour le silence s'est fait. Les passagers attendent la collision désormais inévitable. Mais la chose inespérée se produit. Alors que le *New York* n'est plus distant que de quelques mètres de la coque du *Titanic* celui-ci, machines en arrière toutes, décrit en silence une courbe majestueuse : le petit transatlantique, qui n'aurait pas manqué de s'écraser sur le mastodonte, passe à quelques centimètres puis s'éloigne, dansant comme une coquille de noix dans le sillage. Aussitôt, des bravos fusent de toute part, les passagers applaudissent et l'atmosphère se détend. Les trois sifflets retentissent en un concert assourdissant, et l'on se remet en route.

Appuyé au parapet, Michel suit la longue trace bouillonnante et écumante à perte de vue derrière le *Titanic*. Le chemin est encore long jusqu'à la pleine mer : le pilote du port, George Bowyer, en qui le commandant Smith a toute confiance, mène d'une main sûre le navire à travers un chenal et des quais étroits, parfaitement disproportionnés par rapport à sa taille, au point que le vaisseau noir, blanc et jaune aux lignes élancées, aux cheminées aérodynamiques, semble ouvrir en deux l'espace clair. Le ciel intense, d'un bleu froid sans nuage, le soleil de printemps, déjà haut dans le firmament, donnent à cette apparition l'irréalité d'une trop belle image. Pour Michel aussi, ce départ paraît maintenant irréel. Autour de lui, les enfants poussent des cris aigus, courant çà et là au milieu des passagers. On semble parti pour l'autre bout du monde alors qu'on se dirige vers la France, parallèlement à la route suivie l'avant-veille par les Navratil en sens inverse, à une centaine de milles[1] plus au nord.

---

1. 1 mille marin est égal à 1852 mètres.

Parvenu en haute mer, au large de la baie d'Osborne, le *Titanic* met le cap sur Cherbourg où l'on va embarquer d'autres passagers. On distingue les plus petits détails de la côte de l'île de Wight qui s'éloigne rapidement avec ses plages de sable blanc, ses villages blottis au creux des vallées herbeuses et ses bouquets d'arbres sombres.

L'incident du *New York* a impressionné nombre de ses voisins. Sans en avoir vraiment conscience, certains ont associé dans leur esprit le vaisseau errant au gré des vagues et la ville du même nom, et ils voient là un présage funeste. Michel entend près de lui un homme dire à sa voisine, Margaret Hays, une jeune passagère de première classe, élégante avec simplicité, l'air avenant et paisible :

« Margaret, tenez-vous à la vie ?

— Quelle question, monsieur, vous devez plaisanter ! répond-elle en le considérant avec étonnement.

— Eh bien, croyez-moi, il faut descendre à Cherbourg. Ce navire va sombrer ! »

Margaret riposte en riant qu'elle n'est pas superstitieuse. Mais elle racontera plus tard que son interlocuteur a effectivement débarqué à Cherbourg.

3

Cherbourg

Il est midi trente, heure de Paris, lorsque sur le pont-promenade retentit la cloche du déjeuner. La salle à manger de seconde classe, qui peut accueillir quatre cents convives par service, est située non loin de la cabine des Navratil, au pont D, immédiatement au-dessous de la bibliothèque.

Parvenu au niveau B, Michel s'apprête à emprunter le grand escalier lorsque Lolo, qui court devant, attire son attention sur la porte en métal forgé de l'ascenseur qui dessert les deuxièmes classes. Celui-ci les dépose à proximité de la superbe porte à battants sculptés qui donne accès à la salle à manger, une pièce si immense que les enfants

n'en aperçoivent pas la fin. Un maître d'hôtel français les accueille avec empressement et les conduit, à travers des rangées de tables qui leur paraissent interminables, jusqu'à une table de huit couverts où sont déjà installés leurs voisins de cabine. Michel les salue de la tête et prend place avec ses fils à la gauche de Mirella Cesarese.

Durant les instants qui suivent, Lolo est beaucoup trop occupé pour engager la conversation avec quiconque. Le petit garçon se tord le cou à essayer d'apercevoir, au-delà des tables voisines, les nappes blanches qui s'étendent à perte de vue, le ballet des serveurs évoluant avec célérité et décision autour des îlots de dîneurs, les grandes banquettes confortables placées dos à dos, qui délimitent une frontière entre les différents secteurs et introduisent ainsi un peu d'intimité, les chaises aux hauts dossiers alambiqués, rembourrées de crin et recouvertes de peluche rouge. Le plafond décoré de stucs et de peintures marines attire son attention et il montre en riant à Momon le Neptune bonasse et barbu qui semble les inviter à le rejoindre, lui et ses naïades bien en chair, dans une eau bleu Nattier frangée d'écume.

Michel se sent très à l'aise durant le déjeuner et répond volontiers aux questions qu'on lui pose sur son origine et les motifs qui le poussent à émigrer aux États-Unis. Sa bonne connaissance de l'anglais rend la conversation aisée. Il élude certaines questions embarrassantes, donne pour prétexte de l'absence de Marcelle, le fait que son métier la retient jusqu'en juin à Nice. Elle les rejoindra à New York.

« Dis, papa, c'est vrai que maman va nous rejoindre? » intervient Lolo d'une petite voix inquiète.

Michel n'ose répondre par l'affirmative. Il voit bien que Lolo pressent la vérité : il a bel et bien enlevé ses enfants à leur mère sans intention de jamais les lui rendre.

Mirella, sentant la détresse de Lolo, s'adresse spontanément à lui en italien, comme Marcelle le faisait toujours avec ses enfants. Toutes deux ont le même timbre de voix, le même accent génois.

« *Ma certamente è vero, bambino mio, la tua cara mamma non puo abandonnarti!* »

Cela réchauffe le cœur de Lolo et évite à Michel un nouveau mensonge.

« Vous résidez à Gênes, n'est-ce pas?

— Mais oui, vous avez bien deviné, probablement à cause de mon accent.

— En effet, il m'est familier. Auriez-vous décidé d'émigrer aux États-Unis?

— Pas encore. Mon oncle et ma tante m'ont invitée à passer un mois de vacances chez eux, à Philadelphie.

— Et que font-ils?

— En 1890, ils ont ouvert une boutique de chaussures italiennes. Ils m'ont offert le voyage aller et retour sur le *Titanic*. Ils s'apprêtent à ouvrir une succursale à Washington et envisagent de m'en confier la gérance. Je préfère faire un mois d'essai avant de prendre une décision qui engagera ma vie entière. »

« Comme elle est sage », pense Michel qui agit souvent sous l'effet de ses impulsions, avec les conséquences parfois dramatiques que cela implique.

Le jeune Anglais qui fait face à Mirella se nomme Trevor Pritchard. Avec sa tignasse blond filasse, ses yeux bleu délavé, ses taches de rousseur sur un nez retroussé, son menton anguleux, il offre un contraste amusant avec la jeune Italienne. Il s'apprête à travailler quelques mois pour la société de télégraphie sans fil Marconi à New York. Diplômé de physique de Trinity College à Cambridge, il compte compléter ainsi sa formation avant d'aborder la vie professionnelle en Angleterre.

« Figurez-vous que l'un de mes camarades d'études, Harold Bride, travaille sur le *Titanic* comme radiotélégraphiste, c'est ce qui m'a donné l'idée de participer au voyage inaugural. Je lui donnerai quelques coups de main si le capitaine Smith le permet.

— Quant à nous, nous nous sommes tout simplement laissé tenter par une affiche publicitaire alléchante, intervient son voisin Albert Caldwell, assis en face de sa jeune femme Sylvia et leur bébé d'un an. Après un séjour de plusieurs années à Bangkok durant lesquelles j'enseignais au collège chrétien, nous avons quitté la Thaïlande pour rentrer aux États-Unis.

— Un bateau nous a conduits à Naples où nous avons séjourné durant deux mois enchanteurs, intervient Sylvia. Albert s'apprêtait à réserver des

42

billets pour New York sur l'*Oceanic* lorsque j'ai vu cette affiche annonçant le voyage inaugural du *Titanic*, le premier paquebot insubmersible. Il ne restait que deux places en seconde classe, les prix étaient à peine plus élevés que ceux de l'*Oceanic* et nous n'avons pas su résister à la tentation. »

La conversation, durant ce premier déjeuner, porte d'abord sur la technique et la science, les deux égéries du monde moderne américain, dont le *Titanic* est un vivant symbole. Albert souligne le fait que sans les capitaux du propriétaire actuel de la White Star Line, anglaise à l'origine mais rachetée en 1900 par le financier américain Pierpont Morgan, le nouveau géant des mers n'aurait pu voir le jour.

« Mais, remarque Trevor, le paquebot est britannique et non américain.

— Oui, mais le *Titanic* et l'*Olympic* ont été construits à Belfast, un chantier naval irlandais bien connu pour la qualité exceptionnelle de ses prestations, et non en Angleterre. »

La conversation menace de devenir chauvine au grand déplaisir de Michel, quand l'arrivée d'une des entrées met tout le monde d'accord. En effet, ce premier repas à bord du *Titanic* est célébré comme un événement par la White Star Line qui offre à cette occasion un festin. L'on sert, après les hors-d'œuvre, une julienne de légumes à la crème, un brochet de la Loire au beurre blanc, un caneton aux olives à la mode de Menton, une salade de pointes d'asperges, des petits pois frais à la française, un pudding Choiseul et une bombe glacée. Le tout arrosé de chiroubles, d'un sancerre fruité et d'un veuve-clicquot. Comment après cela ne pas sympathiser !

Albert captive l'attention en évoquant ses expériences à Bangkok et sa femme Sylvia vibre de nostalgie en évoquant Naples et Venise. Michel écoute, oubliant ses inquiétudes.

Cependant, Lolo et Momon trouvent le temps long. Le menu ne leur plaît guère : trop de saveurs inconnues pour leur petit palais. Le maître d'hôtel remarque que les assiettes des enfants restent pleines. Au deuxième service, il leur apporte, sur une immense assiette, deux œufs au plat pour chacun, servis avec de la purée et de la salade. Lolo n'en croit pas ses yeux : depuis le début du repas, il avait la nostalgie de son déjeuner favori, et par enchantement le voici soudain devant lui. Momon a déjà dévoré son deuxième œuf quand Lolo se décide enfin à percer le premier. C'est tellement dommage d'abîmer la belle ordonnance dans ce merveilleux plat argenté !

Il est plus de quatre heures quand on sort de table. Les petits, dont la patience a été mise à rude épreuve par cette longue immobilité, ont besoin d'exercice. Les Caldwell prennent congé tandis que Mirella, Trevor, Michel et les enfants sortent sur le pont.

La seconde classe dispose de deux ponts, l'un au niveau C, tout autour de la bibliothèque, qu'il entoure sur trois côtés, l'autre au pont B, le long du restaurant à la carte et du fumoir. Comme en première classe, les parois donnant sur la mer sont largement vitrées, et le soleil entre à flots. Il y règne une agréable tiédeur contrastant avec la brise qui transformait la Manche, la veille, en un couloir glacial. Tandis que les enfants jouent sur le pont, Michel, Pritchard et Mirella s'approchent d'une fenêtre et contemplent sans mot dire la mer légèrement mouchetée de blanc, si bas au-dessous d'eux. On ne sent ni tangage ni roulis. Michel songe au *Great Eastern*, cet autre ancêtre du *Titanic*, le navire du roman de Jules Verne *Une ville flottante*, dont les machines vibraient si fort que le voyage devenait pénible dès que l'on prenait de la vitesse. Quel progrès accompli en cinquante ans! Le *Titanic* semble tracté par des forces mystérieuses, surnaturelles, tant le silence est grand. Trevor, Mirella et Michel se regardent envahis par le même sentiment d'admiration silencieuse.

Soudain Mirella s'élance dans le couloir à la rencontre des petits. Elle cède encore souvent à de telles impulsions. Ses dix-huit ans la portent autant vers les enfants que vers les adultes. Au moment où elle revient à la hauteur de ses compagnons, un garçon à chaque main, les cheminées font entendre leur sifflement strident. Là-bas, au loin, on aperçoit la ligne découpée des falaises au nord de Cherbourg.

Comment Michel a-t-il pu oublier que cette épreuve l'attendait? Il faut absolument ne pas se faire remarquer pendant l'escale. Une perquisition n'est pas à exclure si l'ami Hoffmann a déclaré à la police l'« emprunt » de son passeport. Alors, adieu les États-Unis! Michel se lève. Spontanément, Mirella s'offre à garder Lolo et Momon jusqu'au dîner. Gêné, il hésite mais, devant l'insistance de la jeune femme, il se laisse convaincre. Trevor et Michel errent quelques minutes à travers le dédale des couloirs du pont D avant de retrouver leur cabine. Dès qu'il est chez lui, Michel s'effondre sur son lit où il s'endort presque instantanément.

Mirella et les enfants se sont retirés à la bibliothèque. C'est une grande pièce couverte de rayonnages qui forment des coins et des recoins où l'on peut facilement s'isoler. Lolo découvre bien vite une section enfantine où il commence à fureter avec ardeur. Personne ne peut douter de l'amour que l'enfant porte aux livres en le voyant inspecter ce trésor. Il a appris à lire les lettres récemment, presque tout seul, dans un alphabet illustré par Benjamin Rabier que lui a offert sa mère. Il ne lit pas encore couramment mais en s'aidant des illustrations, il est capable de reconstituer le récit par simple déduction.

Lolo découvre très vite, sous une pile de livres de grand format, un nouveau recueil récemment paru des aventures de *Little Nemo in Slumberland*. Little Nemo a l'âge de Lolo et ses rêves. Jusqu'à son lit qui ressemble au sien. Fasciné, il n'entend pas les coups de sifflets, de plus en plus fréquents. Et lorsque Mirella lui propose de monter sur le pont pour voir le port de Cherbourg, tout à son occupation, il commence par refuser.

« Allons, tu reviendras, ton livre t'attendra, n'aie pas peur. Regarde, je le mets derrière les autres, personne ne te le prendra. »

Et comme l'enfant ne réagit pas, elle ajoute à mi-voix :

« Dis-moi, tu veux bien me montrer le chemin pour aller là-haut, je crois que je l'ai oublié ! »

Lolo se lève aussitôt. Il a un sens de l'orientation étonnant pour son âge. Il sait reconnaître la droite de la gauche et prend instinctivement des points de repère auxquels un adulte n'aurait pas toujours songé. Le couloir menant à leur cabine, par exemple, a des glaces ovales tandis que, ailleurs, elles sont rectangulaires. Il trouve donc sa route sans hésiter. Trevor, rencontré en chemin, et Mirella, qui tient Momon par la main, suivent à trois mètres derrière lui.

La nuit tombe. Il est près de sept heures. Le *Titanic*, trop grand pour entrer dans le port, s'est ancré dans la rade. Deux bateaux de la compagnie, le *Nomadic*[1] et le *Traffic* font la navette entre le port et le paquebot.

Dans sa cabine, Michel s'est éveillé en sursaut et se penche au hublot pour tenter de distinguer les arrivants. Il aperçoit quelques hommes en uniforme. La police ? Est-ce lui que l'on recherche ? Pris de sueurs froides, il s'assied sur un fauteuil, se recroqueville et attend le pire. Un quart d'heure, une demi-heure se passent sans que rien ne se produise.

---

1. Ancré aujourd'hui sur la Seine à Paris et transformé en restaurant.

S'arrachant à sa prostration, Michel se lève. S'il est recherché, mieux vaut ne pas rester dans sa cabine. Dans la foule, il passera peut-être inaperçu. Une fois la porte refermée derrière lui, il prend l'air dégagé et, d'un pas de promenade, gagne le pont supérieur.

Le *Nomadic* revient précisément du port où il a débarqué quelques passagers, Michel observe la manœuvre. Lorsque le bateau est rangé le long du *Titanic*, l'on jette une passerelle du pont F ou G, tout en bas, qui correspond au pont supérieur du *Nomadic*. Il y a un long va-et-vient de marins portant des sacs postaux sur leurs épaules, puis, alors que l'obscurité est presque totale, Michel voit le groupe en uniforme qui l'a tant inquiété s'avancer dans sa direction. Il se retourne et découvre derrière lui un groupe d'hommes et de femmes, périodiquement illuminés par un éclair livide. Un flash. Des journalistes. Des uniformes de la marine marchande française. Sauvé !

Pendant ce temps, Lolo, non loin de là, s'absorbe paisiblement dans la contemplation de la ville dont les lumières clignotent en face de lui. Il surveille attentivement les allées et venues des deux petits bateaux. Il se penche un peu pour surveiller la manœuvre des treuils qui, au pont D, chargent de nouvelles marchandises. Lolo peut entendre les appels rocailleux des matelots, les ordres des sous-officiers. Les officiers et le capitaine n'ont pas paru. Soudain l'écho de voix graves le fait se retourner. Illuminés par les projecteurs, trois hommes en uniforme s'avancent, couverts de galons. Derrière eux, une vingtaine de journalistes, représentant les grands quotidiens : *Le Temps*, *Le Matin*, *Le Figaro* et bien d'autres encore, écoutent leurs explications. Le reporter de *L'Illustration* ralentit le rythme de la visite car il prend le temps d'installer un peu partout son appareil de photo, avec son trépied de bois, mitraillant le bateau de son feu nourri. Tout ce monde parle bruyamment en français.

« Regarde, Lolo, c'est le capitaine Smith. Avec lui, tu peux voir le commandant en second, Wilde, et le premier officier, Murdoch. Ils font visiter le bateau aux journalistes. La semaine prochaine, leurs lecteurs connaîtront le *Titanic* presque aussi bien que toi et moi ! »

Lolo les regarde avec envie. Il aurait tant aimé parler au capitaine ! Puis, comme le groupe s'éloigne, il saisit Trevor par la main.

« Suivons-les, veux-tu ? Il y a tant de monde que personne ne nous verra ! »

Trevor consulte Mirella. Ce petit ne manque pas de caractère ni d'esprit de décision !

« Allons-y, qu'est-ce que nous risquons ? »

C'est ainsi que dès le premier soir, les mystères de la première classe commencent à se dévoiler pour Lolo. L'idée qu'une partie du navire est interdite lui déplaît. Il comptait bien enfreindre la défense, mais pour cela, il fallait une bonne occasion. À vrai dire, l'accès en est fort simple. Il suffit de se rendre au fumoir de deuxième classe. De là, on accède au restaurant à la carte – français lui aussi –, on le traverse de part en part et l'on se retrouve dans la rotonde-salon située au pied du grand escalier de première classe. Lord Ismay, le président de la White Star Line, descend précisément à la rencontre des journalistes. Les tables sont couvertes de nappes damassées au chiffre de la compagnie. Des coupes de champagne attendent d'être servies. Les journalistes s'extasient devant ce chef-d'œuvre d'art pompier qu'est la grande horloge, identique à celle de l'*Olympic*, symbole de la prospérité de la White Star Line. Elle s'inscrit dans l'un des panneaux de chêne dont le mur est lambrissé, à l'endroit où l'escalier se ramifie en deux. On y accède par de larges marches séparées au centre par une rampe monumentale. Encadrée de quatre pilastres cannelés et de deux guirlandes sculptées en arc de cercle, l'horloge est sertie dans un grand rectangle surplombé d'une corniche ouvragée. Elle est soutenue par deux bas-reliefs représentant la Gloire et l'Honneur couronnant le temps. Un parfait symbole de ce ruban bleu qu'on compte bien arracher à la Cunard, la compagnie rivale !

Momon commence à s'impatienter. Il n'est pas question non plus de prolonger l'aventure et d'assister à la réception. Aussi s'en retourne-t-on le plus discrètement possible vers la zone permise. On descend à la salle à manger où le dîner est déjà servi. Michel, contrairement aux prévisions, n'est pas encore arrivé.

Vers le milieu du repas, une très vague rumeur dans le ventre du bateau indique que les machines chauffent. Un quart d'heure plus tard, les siffets reprennent leur concert discordant. L'on ne s'aperçoit pas que le bateau s'est remis en route. C'est un Michel souriant, détendu, qui le fait remarquer à ses jeunes amis lorsqu'il les rejoint enfin. Oui, il s'est reposé et il se sent bien. Après le dîner, lorsque les enfants dormiront, il se joindrait bien à eux pour une partie de bridge au fumoir, si l'on trouve un quatrième joueur. Au fumoir? Si on allait plutôt au salon des dames, il est toujours désert! Tous éclatent de rire. En effet, la majorité des dames, sur le *Titanic*, n'a aucune envie d'aller s'enfermer dans le salon qui leur est réservé. Un certain nombre d'entre elles, au risque de choquer, préfère se rendre au fumoir, conçu, à l'origine, pour les hommes. En ce début de XXe siècle, les mœurs évoluent très vite!

4

Le jardin des Palmes

Ce matin-là, Michel s'éveille en douceur aux environs de dix heures. Il lui faut une minute de réflexion pour se rappeler où il se trouve. Il se remémore alors la terrible attente de la veille durant l'escale à Cherbourg, son angoisse d'être découvert, puis l'amusante soirée de bridge au fumoir de deuxième classe après que le danger a été passé. Et il sent monter en lui cette même impression de libération qui l'a envahi au départ de Southampton puis de Cherbourg. Près de lui, les enfants dorment encore. À les voir si paisibles, le sourire aux lèvres, qui pourrait imaginer qu'ils sont victimes d'un enlèvement?

Michel s'étire avec volupté et reste à paresser

dans son lit durant quelques minutes. Maintenant qu'il se sent à l'abri, son agitation et son anxiété d'hier lui paraissent presque ridicules. Il se demande comment lui, Michel Navratil, a pu se fourrer dans une pareille situation. Il a tremblé comme un vulgaire criminel, il a craint les barreaux de la prison! Fini tout cela. Son pseudonyme le met à l'abri de recherches éventuelles. L'avenir l'attend. Tous ces millionnaires entrevus dans le train spécial ne lui semblent plus appartenir à une autre sphère. Il se sent surtout proche de ceux qui sont partis de rien et ne doivent leur fortune qu'à eux-mêmes, des Straus[1] par exemple, qu'il a habillés régulièrement lors de leurs séjours hivernaux au célèbre hôtel Negresco.

Isidor et Ida Straus forment un couple devenu légendaire dans cette société où abondent les séparations entre époux. Leur gentillesse et leur simplicité ont rendu possibles des échanges amicaux avec Michel lors des séances d'essayage. Les Straus représentent pour lui un modèle de vie. Comme Isidor à ses débuts, Michel a conscience de ses atouts. Son récent revers de fortune, il l'a lui-même provoqué, dans sa hâte de fuir Nice et l'échec de son mariage. Il saura

---

1. Bavarois, Isidor Straus émigra aux États-Unis avec sa famille en 1854, alors qu'il n'était qu'un jeune homme. Son père Lazare les avait précédés. Isidor réussit fort bien dans le commerce. En 1863, il retourna en Europe, mandaté par les confédérés, pour acquérir des fournitures pour l'armée. Puis il a travaillé à Liverpool dans une agence de navigation. En 1888, il devint sociétaire, avec son frère, de la chaîne de grands magasins Macy's, répandue aujourd'hui dans le monde entier. Ils en devinrent les propriétaires en 1896. Directeur de plusieurs banques, politicien, Isidor finit par posséder l'une des plus grandes fortunes des États-Unis.

renverser les obstacles, se refaire une clientèle et forcer l'estime et l'admiration par son talent de couturier. Il rivalisera avec Mme Lucile, pseudonyme de Lady Duff Gordon qui dirige un célèbre salon de haute couture à New York, ainsi qu'avec les autres grands couturiers. Après tout, les Américains ont une longueur de retard sur la France. La haute couture est un phénomène neuf, aussi neuf que ce siècle. Un phénomène parisien que Michel a su assimiler loin de la capitale, auquel il a participé comme novateur. Le marché est immense, comme les vastes terres encore vierges de l'ouest des États-Unis et Michel se sent l'âme d'un conquérant. Oubliée, la faillite niçoise. À vingt-deux ans, on a la vie devant soi, même si l'on travaille déjà à son compte depuis cinq ans et si l'on a fondé une famille à dix-huit ans !

Si Michel voulait bien se donner la peine de réfléchir sur lui-même, il verrait qu'il reproduit une fois de plus un comportement qui lui a apporté de nombreux bonheurs mais aussi de multiples souffrances : en quittant Nice en secret, en arrachant ses deux fils à leur mère, il a agi sous le coup d'impulsions qu'il ne dominait pas. Il s'est laissé entraîner par ce besoin irrépressible de changement qui, à quinze ans, l'a poussé à abandonner Presbourg, à laisser derrière lui ses parents, ses frères et sœurs, à s'en aller à pied par les chemins sans se retourner, vers le sud, vers le soleil jusqu'à la baie des anges où il s'est fixé, à Nice, gravissant rapidement les échelons. Et au moment où il était considéré, estimé, en possession d'un bien florissant qu'il ne tenait qu'à lui de faire prospérer, il a tout saboté sans vraiment en prendre conscience. Son âme vagabonde a repris le dessus et il a entraîné avec lui ses petits enfants dans une aventure dont il ne peut prévoir tous les dangers.

Michel regarde devant lui sans y penser et aperçoit son reflet dans le miroir. Tout d'abord, il a de la peine à se reconnaître. Son collier de barbe naissant lui épaissit le visage et lui donne un air martial. Ses cheveux plus longs et moins disciplinés – il a cessé de les lisser et de les cranter en arrière et ils ont repris leur pli naturel – ont tendance à retomber sur son front en mèches folles, ce qui le rajeunit. Son ancienne moustache, longue, fine, soigneusement frisée au fer chaque matin en volutes distinguées, lui manque, mais il la laissera repousser à New York.

Il fait sa toilette, se parfume légèrement avec une eau au citron vert, endosse un costume de velours côtelé, gilet assez ample et veste peu cintrée, qui lui donne l'aspect d'un artiste peintre à son atelier. Puis il recule afin d'apercevoir sa silhouette qui le confirme dans son contentement de soi. Il n'est plus Michel Navratil mais Michel Hoffmann, le temps du voyage sur le *Titanic*. Les enfants eux-mêmes ignorent leur patronyme et leur prénom, ils ne connaissent que leur surnom. Pas de danger qu'ils révèlent leur véritable identité !

Une demi-heure plus tard, les trois MM. Hoffmann partent à l'aventure dans la ville flottante. Ils explorent tout ce qui leur est accessible aux niveaux D, C et B. Ils découvrent avec amusement une véritable rue commerçante, avec toutes les boutiques imaginables :

alimentation fine, coiffure, papeterie, librairie, confection, maroquinerie, chaussures, bijouterie, parfumerie. Les boutiques sont de petite taille mais parfaitement approvisionnées. C'est à la fois très familier et très étrange de se promener là, de regarder les vitrines, comme dans les rues de Nice. Aucun navire avant le *Titanic* n'a offert pareil luxe à ses passagers !

Michel n'a pris que peu d'argent sur lui : il a confié au commissaire de bord MacElroy, qui a la responsabilité des coffres, l'essentiel de son petit pécule arraché aux créanciers. Il se borne donc à acheter aux enfants un paquet de gâteaux.

« Tu vois, papa, s'il y a des bandits, ici, ils pourront attaquer les magasins et leur demander la caisse.

— Oui, et dévaliser la banque, comme au Far West ! ajouta Michel en riant. Allons-nous-en bien vite avant qu'ils n'arrivent, sinon vous seriez obligés de leur donner vos gâteaux ! »

Les voilà partis en courant le long de la « rue », en direction du pont supérieur. Un couloir blanc, un escalier rouge, un autre couloir blanc, un autre escalier rouge et, pour finir, parce que c'est amusant, l'ascenseur électrique.

Le pont supérieur, à cette heure encore matinale pour les noctambules, si nombreux parmi les passagers, a quelque chose d'irréel. Vu de la poupe[1], il s'étend sur deux cent soixante dix mètres de longueur, tout blanc, tout neuf, tout reluisant, comme une maquette que l'on aurait astiquée et

---

1. La poupe est située à l'arrière du bateau, la proue à l'avant.

qui aurait miraculeusement grandi. Il flotte encore çà et là des odeurs de peinture car le transatlantique n'a quitté le chantier de Belfast que le 2 avril, soit douze jours plus tôt. Les trois cheminées en fonctionnement n'ont pas encore eu le temps de se couvrir de suie. De plus, avec leur légère inclinaison vers l'arrière qui leur donne de loin cette ligne aérodynamique, elles semblent avoir été courbées par le vent, et on éprouve, à les regarder, une sensation de vertige, comme en bas de la tour de Pise.

« Papa, Momon, venez voir! »

Lolo se tient devant une porte d'assez petite dimension, mais grande ouverte. C'est le gymnase du bord, une invention de Thomas Andrews, l'architecte-ingénieur du *Titanic*, qui a fait la joie des journalistes. Il est encombré par une quantité d'appareils plus bizarres les uns que les autres : bicyclettes et chevaux électriques, machines à ramer, bref, tout un appareillage compliqué destiné à entretenir la ligne des passagers quelque peu menacée par les excès de bonne nourriture. Les Hoffmann sont seuls et s'en donnent à cœur joie, essayant les appareils les uns après les autres.

Après s'être amusé comme un enfant avec ses fils, Michel consulte sa montre, un cadeau de Marcelle pour son dernier anniversaire : onze heures trente. Encore une heure avant le lunch. Et si on allait à la bibliothèque? Michel a lu, dans les dépliants publicitaires de la White Star Line, que le *Titanic* imprimerait un quotidien, l'*Atlantic Daily*, où l'on pourrait trouver des nouvelles fraîches du continent, transmises par l'appareil radio Marconi, ainsi que diverses informations et anecdotes sur la vie à bord. Il a hâte de consulter le premier numéro. Lolo, pour sa part, se réjouit à l'idée de retrouver Little Nemo. Il conduit son père tout droit au coin des enfants, lui montre son livre, toujours caché derrière le rayon des livres illustrés, et se plonge aussitôt dans sa lecture-contemplation.

Cet univers visuel a presque la force du cinématographe, avec les couleurs en plus. La vivacité d'imagination de Lolo lui permet de s'identifier complètement au héros Little Nemo dans sa quête de la belle princesse et bientôt il se laisse gagner par la nostalgie, car la princesse inaccessible ressemble à maman. Son regard se détache du livre et il reste un moment à rêver.

Soudain, il ressent des fourmis dans les jambes et un irrépressible besoin d'activité. Il jette un coup d'œil rapide sur Momon qui feuillette des livres d'images près de leur père, assis dans un fauteuil anglais. Personne ne fait attention à lui. Alors il se lève et gagne la sortie en catimini, monte en courant l'escalier qui conduit au fumoir de deuxième classe, traverse posément le restaurant où les garçons s'affairent à mettre la table et à servir les premiers clients, gravit majestueusement l'escalier de première classe, non sans au passage jeter un coup d'œil désapprobateur à la Gloire et à l'Honneur qui lui portent sur les nerfs. L'horloge, à ce moment précis, sonne midi. Il parvient enfin sur le pont-promenade de première où les gens prennent le soleil, allongés dans des fauteuils transatlantiques, et longe le fumoir où il lui semble apercevoir à travers la vitre le vieux monsieur à la barbe blanche qui a harangué les journalistes à Southampton. Sans se laisser intimider, il poursuit sa route et découvre enfin ce qu'il cherchait : le jardin des Palmes dont le nom a résonné magiquement à ses oreilles, la veille, sans doute parce qu'il lui rappelait le salon de thé de l'hôtel Negresco.

Intimidé, tout à coup, il hésite avant d'y pénétrer. Enfin, il se risque à faire quelques pas et regarde autour de lui. Les palmiers, qui lui paraissent énormes, s'élèvent jusqu'au plafond, éclairé par une verrière, que soutiennent des colonnes de fer peintes en vert et recouvertes de plantes grimpantes. Partout, des tables et des fauteuils de rotin où l'on sert des boissons fraîches et des crèmes glacées. La clientèle est en majeure partie constituée de jeunes gens et de jeunes filles et la salle retentit de leurs rires.

Fasciné, Lolo les regarde et pense découvrir sa princesse. Sans aucun doute, maman est là, parmi ces belles personnes à la peau fraîche et rose, aux yeux câlins, aux boucles brunes. Il va, sous les petits palmiers, s'arrêtant à chaque table et dévisageant les jeunes filles sous le nez, ce qui les amuse beaucoup. Mais bientôt, il a fait le tour de la pièce et se sent affreusement déçu. Courageusement, il tente de lutter contre les larmes, serre les poings, plisse les yeux et colle son front contre la vitre de la véranda. Puis l'émotion est trop forte, il éclate en sanglots, tandis que le mot de maman s'articule convulsivement sur ses lèvres.

C'est alors que l'enfant se sent soulevé et se retrouve dans les bras du vieux monsieur qui l'a regardé passer tout à l'heure. Stead a été intrigué par ce petit enfant solitaire, qui avançait d'un air si décidé. Il lui semblait l'avoir déjà vu. Il tenta de rassembler ses souvenirs, puis l'image d'un jeune homme qui occupait un compartiment voisin du sien, avec deux petits enfants, dans le train Londres-Southampton lui revint en mémoire. Il avait aperçu Lolo au moment où il ouvrait la porte alors que Stead passait dans le couloir. Le jeune père avait rabroué son fils et refermé soigneusement la porte derrière lui. C'est bien cet enfant-là qui sanglote maintenant.

Stead soupçonne quelque drame en train de se jouer dans cette famille sans mère. Le comportement étrange du petit lui prouve aujourd'hui que son intuition était bonne. Paternellement, il questionne l'enfant qui s'est accroché à son cou. Il lui parle doucement, en français, et sa voix a des inflexions chaleureuses qui font du bien à Lolo. Lorsque ses pleurs sont calmés, il avoue s'être échappé de la bibliothèque où se trouvent son père et son frère afin de rechercher sa maman.

Au moment précis où Stead sort de la véranda avec Lolo pour le ramener à son père, il croise son ami Charles Bedford, qui voyage dans la suite voisine de la sienne en première classe. Or, Charles est un ami très proche de Navratil, il est le parrain de Momon. Il a fait sa connaissance à Presbourg[1]

1. Aujourd'hui, Presbourg, capitale de la Slovaquie, a repris son ancien nom de Bratislava.

où il séjournait pour affaires. Il avait commandé un costume en loden au patron de Michel et avait remarqué le jeune homme lors d'un essayage car ce dernier parlait couramment l'anglais. Tous deux avaient bavardé et s'étaient liés d'amitié, malgré une différence d'âge d'une quarantaine d'années.

Deux ans plus tard, à Nice, tous deux se croisèrent incidemment un dimanche après-midi sur la promenade des Anglais où Michel se promenait avec Marcelle, sa fiancée. Au moment de cette rencontre, Charles venait tout juste de s'échapper des brouillards de Londres pour passer la saison d'hiver auprès de la Grande Bleue.

Il fut émerveillé par la beauté de Marcelle, une toute jeune Italienne de quinze ans, aux cheveux d'ébène, à la mine grave et réfléchie qui s'éclairait souvent d'un sourire confiant. Son expression juvénile séduisait d'autant plus qu'elle contrastait avec sa silhouette élégante de femme accomplie. Sa famille, originaire de Gênes, avait émigré récemment à Nice et l'avait placée, contre sa volonté, comme apprentie couturière dans l'atelier où Michel travaillait comme premier tailleur.

Charles décida d'aider les jeunes gens, visiblement sous l'empire d'un amour foudroyant qui ne souffrait aucune attente, aucune diversion. Comme Michel et Marcelle souhaitaient s'arracher au plus vite à la vie monotone de l'atelier et devenir indépendants, Charles, aussitôt, prêta à Michel la somme nécessaire pour qu'il ouvre sa propre maison de couture 26, rue de France, à Nice. Il fut leur témoin de mariage à

Londres. Michel fut rapidement en mesure de payer sa dette à Charles car il était l'objet d'un grand engouement de la part de la clientèle niçoise. Ce jeune couturier de dix-huit ans créait des modèles dignes de Paul Poiret! Ses affaires prospérèrent durant trois années. Marcelle ne travaillait pas à la boutique, elle élevait ses enfants, apprenait le piano et le chant pour lequel elle faisait preuve de beaucoup de talent.

Pourtant, vers la fin de 1911 (peu avant la séparation des jeunes époux), Charles constata avec stupéfaction que Michel, miné par des soucis d'ordre privé – la liaison de sa femme et de l'un de ses meilleurs amis! –, cessait de s'intéresser à son entreprise. Sa collection d'hiver, sur les rayons, attirait toujours la clientèle mais comme Michel laissait à des subalternes le soin de l'accueillir et que son enthousiasme juvénile et sa compétence de créateur leur faisaient défaut, les clients se raréfièrent. Michel Hoffmann, que Navratil avait engagé comme premier tailleur, vit venir, impuissant, l'inévitable faillite et finit par racheter l'affaire de son ami avant qu'elle n'ait définitivement périclité.

Charles Bedford avait appris la séparation de ses jeunes amis et ne les avait pas revus depuis et le voilà qui, soudain, retrouvait Lolo dans les bras de Stead, sur le *Titanic*.

« Charles! s'écria Lolo.

— Lolo, toi, ici? Que fais-tu, tout seul? Où sont tes parents? »

Bedford prend à son tour le petit qui lui tend les bras. Il distingue les grosses larmes qui n'ont pas encore eu le temps de sécher sur ses joues.

« Je cherchais maman, mais je suis bête! Elle n'est pas sur le bateau! »

« Bizarre toute cette histoire », se dit Charles. Un coup d'œil sur Stead lui montre que son ami partage son impression.

« Mon cher Bedford, je vous propose la chose suivante. Je vais inviter mon petit ami que voilà à boire un jus de fruits ou à manger une glace. Pendant ce temps, voudriez-vous avoir la bonté d'aller chercher son père? Peut-être vous expliquera-t-il la situation. Prenez votre temps. »

Bedford accepte bien volontiers. La perspicacité de Stead a quelque chose d'inquiétant. En sa compagnie, on se sent toujours plus ou moins deviné, Stead lit en vous mieux que vous-même, et certains ne le supportent pas. C'est la raison pour laquelle Stead a peu d'amis, mais tous fidèles. Il se dévoue entièrement à la cause de ceux qui lui sont proches lorsque le besoin s'en fait sentir.

Bedford fait partie de son petit cercle d'intimes. Stead apprécie en lui cette disponibilité, cette ouverture aux autres que l'on rencontre si rarement dans le milieu où il évolue. Il aime les efforts de cet aristocrate autodidacte qui ne dépense pas sa fortune sur les tables de jeu mais en voyages autour du monde et dont la préoccupation essentielle est l'étude des hommes et des sociétés. Tous deux se comprennent à demi-mot et partagent les mêmes vues.

Lolo suit volontiers son nouvel ami Stead. Bedford les voit s'installer à une table près d'une baie vitrée exposée au nord, d'où l'on domine l'océan qui moutonne à l'infini. Lolo semble avoir oublié son chagrin et bavarde avec son nouvel ami. Tout à fait rassuré sur le sort de l'enfant, il part à la recherche du père.

Il finit par le découvrir qui vient vers lui sans le voir, arpentant nerveusement le pont B à la recherche de Lolo. Il serre Momon contre lui. Michel est méconnaissable dans son costume de velours, avec ses cheveux fous et sa barbe naissante. Charles hésite un instant avant de l'aborder tant il est transformé. Son agitation fait peine à voir! Il se mord les lèvres et porte fréquemment ses ongles à sa bouche, ce qui n'est pas dans ses habitudes.

Michel aperçoit Charles lorsqu'il n'est plus qu'à deux mètres de lui. Il s'immobilise, croyant à une nouvelle hallucination.

« C'est bien moi, Michel, vous ne rêvez pas! Et qui plus est, je vais vous rassurer car votre petit garçon est en sécurité auprès de mon ami, le journaliste Stead qui l'a retrouvé au jardin des Palmes. Et puisque vous voilà, éclairez-moi donc sur votre présence ici. »

Michel hésite. Depuis la disparition de Lolo, tous ses doutes l'ont repris, il se sent coupable envers ses enfants auxquels il ne cesse de mentir au sujet de leur mère. Et la vision de Marcelle à un millier de kilomètres de là, se tourmentant au sujet de leur disparition, le fait souffrir physiquement. Quel soulagement de retrouver Charles! Il va enfin pouvoir parler!

« Charles, j'ai quitté Nice pour toujours. J'ai l'intention de m'établir aux États-Unis.

— Mais pourquoi avoir pris les deux petits avec vous? Où est Marcelle?

— Avec son amant, le marquis Rey de Villarey, notre ami commun !

— Vous plaisantez, Michel ! Le marquis est un homme d'honneur, il n'aurait jamais enlevé une mère à ses enfants et une épouse à son mari. N'est-il pas le parrain de Lolo ?

— Précisément il l'est, et cela ne l'a pas empêché de séduire Marcelle !

— Séduire Marcelle ? En êtes-vous certain ? Ne me dites pas que le marquis vit maintenant avec elle, je n'en croirai rien !

— Non, vous avez raison, Marcelle habite toujours à la maison, c'est moi qui ai demandé la séparation et quitté le domicile conjugal.

— Marcelle vous aime, elle raffole de ses enfants. Voyons, le marquis n'est qu'une passade, ne me dites pas qu'elle souhaitait divorcer.

— C'est moi qui ai demandé le divorce. La vie était devenue un enfer à la maison depuis le jour où elle m'avait avoué sa liaison avec Rey de Villarey. Nous ne cessions de nous disputer, il fallait que je parte. Lorsque la séparation a été officiellement prononcée en justice, en février dernier, la garde des enfants a été donnée à Marcelle, en attendant la décision définitive au moment du divorce : cette injustice m'a révolté ! Marcelle s'absentait souvent, et pour cause ! Les enfants étaient confiés la plupart du temps à Angelina, ma belle-mère, qui leur passe tous leurs caprices. Ils prenaient de fort mauvaises habitudes et je ne pouvais m'occuper d'eux que le dimanche. Ajoutez à cela qu'Angelina ne cessait de m'importuner parce que je n'étais pas assez sévère avec Marcelle. Je n'avais pas assez surveillé ma femme. Une jeunesse comme cela, belle comme une reine, a besoin d'un chaperon et ne doit pas passer ses journées à papillonner…

— Mais Marcelle ne papillonnait pas, elle travaillait sa voix, son répertoire, et vous savez comme moi que son professeur envisageait pour elle une carrière de cantatrice.

— Oui, et je ne voulais pas en entendre parler. Cela aurait tué ma réputation à Nice. Mais Rey de Villarey l'encourageait à me désobéir. Pour couronner le tout, Angelina n'a pas compris que j'aie quitté la maison lorsque Marcelle m'a avoué son infidélité. J'aurais dû rester et elle partir! Vous voyez cela d'ici, le monde à l'envers!

— Angelina a pris votre parti, c'est courageux de sa part!

—Je ne le lui demandais pas.

— Qu'avez-vous dit à Marcelle pour motiver votre départ pour l'Amérique?

— Marcelle est à Nice et ignore où nous sommes. J'ai kidnappé les enfants…

— Kidnappé les enfants, vous, Michel? Non, je ne peux pas le croire! »

Charles est bouleversé, il n'en croit pas ses oreilles.

« Mais il fallait que je le fasse puisque la garde des enfants avait été confiée à ma femme infidèle. Je n'avais pas le choix. Je devais les prendre avec moi, dans leur intérêt, pour les soustraire à l'influence néfaste de Marcelle et de leur grand-mère.

Je veux qu'ils reçoivent une bonne éducation. Marcelle parlait déjà de leur faire faire des études. Mais il n'en est pas question, ils exerceront un bon métier, comme leur père!

— Comment avez-vous pu commettre un acte aussi grave et d'une manière aussi irréfléchie! Michel, je ne vous comprends pas.

— Charles, je vous le répète, je n'avais pas le choix. Je voyage sous un pseudonyme. J'ai emprunté à Hoffmann son passeport, je le lui renverrai dès notre arrivée à New York. Je ne suis pas fier de moi, croyez-le. Mais c'était l'unique façon de procéder! Jamais Marcelle ne m'aurait laissé partir avec les enfants si je lui avais dit que je voulais émigrer aux États-Unis.

— Mais elle vous aurait peut-être accompagnés! »

Charles connaît Marcelle, il sait qu'elle n'aurait jamais accepté que ses enfants partent loin d'elle. Il fallait qu'elle soit en proie à une bien grande détresse pour se laisser aller à trahir son mari. L'intolérance de Michel avait certainement joué un rôle prépondérant dans cette affaire et l'avait poussée à bout.

« Ce qui me tourmente maintenant, c'est le sort de cette lettre que j'ai écrite de Londres dans laquelle j'informais ma femme que nous voyagions à bord du *Titanic*. Je n'ai pas voulu l'écrire plus tôt car Marcelle m'aurait dénoncé à la police.

— Elle n'aurait sans doute pas eu tort!

— Je promettais de lui donner de nos nouvelles dès que je serais installé dans ma nouvelle vie. J'ai confié à la femme de chambre de l'hôtel où nous avons passé la nuit à Londres le soir de poster cette lettre parce que le temps me manquait. J'ai insisté sur son importance. La jeune femme m'a promis de le faire le jour même et je n'ai pas lésiné sur le pourboire.

— Alors inutile de vous inquiéter à ce sujet. Il n'y a aucune raison pour qu'elle ne l'ait pas postée… »

Ni Bedford, ni Navratil n'en sont véritablement convaincus. Mais ils ne disent rien, l'un par discrétion, l'autre par sentiment d'impuissance.

Un silence gêné suit le récit de Michel. Bedford ne se sent pas le droit d'intervenir dans la destinée de son ami, même si aujourd'hui il fait preuve d'irresponsabilité. Michel, qui s'était détourné, ose enfin regarder Charles en face et comprend qu'il gardera le secret.

Momon, qui se sent oublié, rappelle son père à l'ordre en tirant sur sa manche. Il réclame son frère. Aussitôt un déclic se produit et les deux amis se mettent en route pour le jardin des Palmes où ils trouvent Lolo, devisant gravement avec son nouvel ami Stead.

Deux heures plus tard, les Hoffmann quittent la table du déjeuner. Trevor propose à Michel d'emmener Lolo en début d'après-midi à la cabine radio où il doit rendre visite à son ami, Harold Bride, le deuxième radiotélégraphiste. Cela intéressera sans doute le petit de visiter la station. Mirella souhaite garder Edmond avec elle pendant cette visite. Michel est heureux de ce moment de solitude. Sachant ses enfants en de bonnes mains, il se retire dans sa cabine pour tenter de voir plus clair en lui-même.

5

Les petites lumières
de Queenstown

La station de télégraphie sans fil est située à l'avant du pont supérieur. Elle se compose de trois petites pièces en enfilade. Dans la première se trouvent le récepteur, la table de travail et les appareils de contrôle, dans la deuxième l'appareil de transmission, et la troisième est aménagée en cabine. À cette heure-là, Bride n'est pas de service et il accueille fort aimablement Trevor qui s'excuse d'avoir pris la liberté d'amener Lolo avec lui. Bride sourit en voyant le petit et introduit les visiteurs dans le premier compartiment, aux dimensions très réduites, car Phillips, le premier radio, est occupé à transmettre des messages personnels dans le compartiment voisin. Bride donne quelques informations générales sur la station du *Titanic*, désignée au monde extérieur par les initiales MGY. C'est, avec celle de l'*Olympic*, la plus moderne et la mieux équipée de tous les navires marchands[1]. Du reste, le système de Marconi n'est pas le seul utilisé sur les mers ; il existe trois autres procédés brevetés et rivaux, Telefunken, Lee de Forest et le United Wireless. La concurrence entre les différentes entreprises est telle en 1912 que deux systèmes différents ne peuvent communiquer entre eux qu'en cas d'urgence. Il arrive même parfois qu'un opérateur joue l'apprenti sorcier et s'amuse à perturber les transmissions d'une radio rivale, sans bien en mesurer les conséquences éventuelles !

Trevor s'efforce de traduire et de simplifier pour Lolo les explications de Bride. Il tente vainement de lui faire comprendre ce qu'est une onde électromagnétique. Bride, qui a disparu quelques secondes dans le compartiment voisin, leur fait signe de le rejoindre auprès de Phillips en train d'émettre. Trevor et Lolo s'approchent sans bruit. L'enfant regarde sans comprendre mais avec amusement les bizarres manipulations de l'opérateur. Le récepteur se met à crachoter du morse : des

---

1. La station est pourvue de deux antennes en forme de double T, hautes chacune de 60 mètres et disposées à l'avant et à l'arrière du paquebot, à 180 mètres de distance. Leur portée est de 250 à 400 milles durant le jour, et d'environ 2 000 milles pendant la nuit. Toutes deux servent aussi bien pour la transmission que pour la réception. La station dispose également d'une batterie d'accumulateurs, en cas de panne.

sons très brefs ou un peu plus longs qui ressemblent à des ti-ti-ta ou ti-ta-ta-ti avec toutes les combinaisons imaginables. Lolo observe comment le jeune homme prend des mots sous la dictée, lettre après lettre. Puis Bride, Trevor et Lolo ressortent sur la pointe des pieds, laissant Phillips à son affaire, et l'enfant se fait expliquer l'alphabet morse qui le séduit plus encore que les lettres d'imprimerie.

Bride a sorti trois sièges pliants et la conversation se poursuit entre les deux amis, tandis que Lolo s'amuse à rythmer sur ses genoux des ti-ti-ta fantaisistes.

« Quelles sont vos conditions de vie et de travail à bord du *Titanic* ? questionne Trevor.

— Assez difficiles. Comme tous les radiotélégraphistes Marconi, nous n'avons pas le statut d'officier et nous ne nous mêlons pas à la vie du mess. Alors nous restons isolés dans notre cabine. Nous sommes censés nous relayer l'un l'autre. Mais il arrive que nous devions travailler tous les deux ensemble vingt-quatre heures sur vingt-quatre. Le trafic radio est parfois si intense que le travail devient harassant. »

C'est le cas sur le *Titanic* où tant de richissimes particuliers entendent recevoir et transmettre des messages privés, où tant d'hommes célèbres de la haute finance et de la politique continuent à brasser leurs affaires sur l'océan, comme ils le feraient dans leur bureau de New York ou de Londres, ce qui, en 1912, soixante-quinze ans avant l'apparition du micro-ordinateur portable et d'Internet, représente un fabuleux progrès des télécommunications.

C'est pourquoi les deux jeunes gens – Bride a vingt-deux ans et Phillips vingt-sept –, conscients de l'importance de leur travail, ne donneraient pas leur place pour un empire, trop heureux qu'on leur ait confié à leur âge un poste aussi prestigieux!

Au moment où Trevor se lève pour prendre congé, un homme à l'air très affairé s'avance vers eux. C'est Thomas Andrews, l'ingénieur-architecte de cette ville flottante, un homme de large carrure, aux tempes légèrement dégarnies, aux sourcils fournis et broussailleux qui accentuent un regard farouche, au menton carré, au nez droit, mais avec quelque chose de doux dans le pli de la bouche. Comme il nourrit une sympathie particulière pour Bride qu'il a lui-même recommandé au commandant Smith, il sacrifie volontiers quelques minutes de son temps précieux pour bavarder avec lui. Au bout d'un moment, Lolo, qui s'exerce à l'alphabet morse en tapant du bout de sa bottine sur le pont, attire l'attention d'Andrews qui lui pose quelques questions. Dès que le petit garçon apprend à quel illustre personnage il a l'honneur de parler, il exprime vivement son admiration pour « le plus beau bateau du monde »! Puis, sans se mêler à la conversation, il écoute avec attention en essayant de comprendre. Lorsqu'il est question des compartiments étanches et des chaudières qu'Andrews doit inspecter le lendemain matin, il supplie l'ingénieur de l'emmener avec lui. Amusé par cet insolite petit bonhomme, Andrews accepte et fixe le rendez-vous au lendemain dix heures devant la cabine radio.

Il est cinq heures de l'après-midi, et l'on aperçoit déjà, au loin, la côte irlandaise. Le *Titanic* s'apprête à faire sa deuxième et dernière escale à Queenstown, avant la grande traversée de l'Atlantique Nord, afin d'embarquer cent trente nouveaux passagers, des émigrants pour la plupart d'entre eux, et environ mille quatre cents sacs postaux.

Pendant quelques minutes, Michel s'abîme avec bonheur dans la contemplation des fonds marins, tout en bas, d'un vert translucide, pendant que Lolo et Momon jouent au ballon. Il est bientôt rejoint par Lord Bedford qui lui propose de gagner la salle de lecture de première classe, largement vitrée, d'où l'on jouit d'un magnifique point de vue sur les côtes irlandaises.

En gravissant l'escalier d'honneur, la petite troupe croise une ravissante personne qui doit être, à en juger par sa mine et son costume, une actrice de cinéma. Elle tient dans sa main droite, gantée de blanc jusqu'au coude, un long fume-cigarette au bout duquel est fiché un mince cigarillo. Ses cheveux sont coupés court, à la garçonne, avec un accroche-cœur qui s'enroule sur chaque joue. Elle porte une splendide robe de voile blanc blousant sur une taille basse, et retombant en ligne droite sur les mollets qu'elle laisse partiellement à découvert. Une longue écharpe de soie noire s'enroule autour de son cou et pend dans le dos à hauteur de l'ourlet. Michel reconnaît aussitôt la griffe de Paul Poiret, toujours à la pointe de l'avant-garde! Au même moment, la jeune femme, qui est arrivée

à sa hauteur, se tourne vers lui et dit drôlement, sûre de son effet, dans un français fortement teinté d'américain, en le regardant bien en face :

« Pardon monsieur, sauriez-vous par hasard quand cet endroit arrivera à New York?

— Le 17 avril, madame, si Dieu lui prête vie.

— Vraiment? Si vite! Comme c'est surprenant! Je ne parviendrai pas à m'y faire! »

Et la jolie personne, l'œil rêveur, descend l'escalier sans se retourner. C'est l'une des plus grandes stars américaines du cinéma muet : Dorothy Gibson[1].

« Connaissez-vous cette belle personne, Michel? demande Bedford, le premier moment d'amusement passé.

— Pas le moins du monde! En tout cas elle a raison! L'on se croirait sur une ville et non sur un bateau. »

Il ne reste plus la moindre chaise libre lorsqu'ils pénètrent dans la salle de lecture où jeunes et vieux s'exposent au soleil. Mais au moment précis où Bedford et Michel vont faire demi-tour, Lolo aperçoit un couple de vieillards occupés à se lever et à ramasser leurs affaires.

« Papa, Charles! Regardez! Il va y avoir de la place! » s'écrie-t-il.

Les petits se hâtent dans la direction indiquée, Michel les suit et les deux vieillards se retournent.

---

1. Dorothy Gibson était une actrice célèbre du cinéma muet. Après l'avènement du parlant, elle tomba dans l'oubli.

« Quelle surprise! Vous ici, monsieur Navratil! Voyez un peu quel cachottier vous faites! Vous nous confectionnez un magnifique trousseau pour notre traversée de l'Atlantique sur le *Titanic*, et vous ne nous dites même pas que vous êtes du voyage! »

Le timbre grave et sonore d'Isidor Straus résonne à travers la large pièce vitrée comme dans un hall de gare, et la plupart des lecteurs tournent la tête en souriant. À s'entendre nommer par son véritable nom, Michel croit que son cœur s'arrête. Le premier moment de surprise passé, Michel observe furtivement les passagers autour de lui. Aucun visage connu, heureusement. Il n'aurait jamais dû accepter l'invitation de Bedford en première classe. Il aurait dû se souvenir que les Straus étaient nécessairement à bord du *Titanic* puisque l'idée de voyager sur ce bateau lui venait d'eux! Il était donc fatal qu'il les rencontre et que ceux-ci le reconnaissent. Il faudrait les éviter à l'avenir.

Les Straus sont montés à bord à Cherbourg. La plupart des passagers de première classe, habitués à traverser l'Atlantique, les connaissent et les citent souvent en exemple.

« Vous voyez que nous vous faisons honneur, cher ami, reprend en souriant Ida Straus, nous ne portons que vos vêtements et nous nous en trouvons très bien. Mais nous ferez-vous la grâce de nous dire pourquoi vous êtes à bord? Vous êtes-vous décidé au dernier moment, ou bien aviez-vous déjà prévu de partir, la dernière fois que nous nous sommes vus?

— À dire vrai, chère madame, cher monsieur, c'est grâce à vous que nous sommes là. Vous souvenez-vous comme je vous ai questionnés au sujet du *Titanic*? Je vous ai même demandé où l'on achetait les billets sur la Côte. Je me suis décidé peu après.

— Racontez-nous donc votre histoire », insiste Isidor.

Michel, très étonné de se sentir aussi à l'aise, explique en peu de mots ce qui l'attire aux États-Unis.

Isidor Straus est enthousiasmé par l'esprit de décision de son jeune ami ainsi qu'il l'appelle depuis quelques minutes. Il ne peut qu'approuver une telle initiative qui lui rappelle sa jeunesse, ses débuts audacieux et difficiles dans le Nouveau Monde et sa carrière couronnée de succès.

« Croyez-moi, vous avez bien fait de partir. Je vous connais bien et je sais que vous irez loin. D'ailleurs, je ferai tout ce qui est en mon pouvoir pour vous aider. Vous plairait-il de devenir le fournisseur attitré de nos grands magasins Macy's pour le prêt-à-porter féminin de luxe? »

Michel ne sait plus que dire devant tant de gentillesse. Sa confusion et sa reconnaissance se lisent sur son visage.

« Cher monsieur, ne nous remerciez pas, intervient Ida. Nous serons trop heureux de pouvoir faire, pour un jeune homme aussi méritant que vous, ce que d'autres ont fait pour mon mari voilà maintenant plus de quarante ans! »

Au même moment, Lolo et Momon rejoignent leur père, tout essoufflés après une grande course sur le pont.

« Oh! Mais votre famille vous accompagne! Venez m'embrasser, mes chéris! Où est votre maman?

— À Nice! répond Lolo, heureux d'embrasser cette vieille dame si gentille, qui sent si bon et paraît si douce. Elle nous rejoindra bientôt en Amérique! »

Les Straus prennent congé, laissant leurs places à Michel et à Charles. Le soir tombe et l'océan se teinte de pourpre à l'occident. Tout autour du navire, l'eau se nuance de tons dégradés allant du marine à l'émeraude, de mystérieux courants circulent et se croisent sans perdre leur couleur propre. Le ciel s'assombrit lentement. Au loin, les petites lumières de Queenstown commencent à scintiller faiblement. Dans la salle de lecture, la plupart des conversations ont cessé.

Lolo, sur les genoux de Michel, regarde de tous ses yeux la bande noire de la côte, encore découpée sur le ciel, qui se rapproche rapidement. Momon joue sans bruit avec l'automobile offerte à Lolo à l'embarquement. « Voici donc l'Irlande », se dit Michel, ému. La côte rocheuse, abrupte, creusée de baies profondes aux plages sableuses, hérissées de caps vertigineux, est couronnée, à l'est du port de Queenstown, par un château en ruine, et à l'ouest par une église, tout aussi délabrée. Le long du promontoire oriental se dessine la silhouette d'un fort dont les remparts descendent jusqu'à la mer. Un peu plus loin, à l'occident, une autre fortification lui fait face. Entre ces deux caps s'ouvre l'embouchure du port, très animé par le retour de la flottille de pêcheurs qui semble à Lolo aussi lilliputienne qu'un nuage de moucherons.

Bientôt, le *Titanic* ralentit, stoppe ses machines et le pilote monte à bord pour guider le grand navire le long des nombreux récifs. On mouille à deux milles du port et Lolo peut assister au même ballet que précédemment, à Cherbourg, des petits navires irlandais allant et venant pour embarquer les passagers et les sacs postaux, ainsi que diverses marchandises. À nouveau les journalistes sont reçus à bord et visitent le paquebot, partageant l'enthousiasme de leurs collègues britanniques et français pour cette merveille de la technique moderne.

Depuis quelque temps déjà, Bedford a quitté la pièce, et les Hoffmann restent presque seuls face à la ville irréelle, qui se fond peu à peu dans l'immensité nocturne. Edmond s'est endormi dans les bras de son père et Lolo a pris possession du fauteuil de l'ami Charles. Silencieux, comme Michel, on pourrait croire qu'il dort. Mais ses prunelles élargies absorbent cette vision merveilleuse, lui font subir une étonnante mutation. Peut-être que cette ville n'existe plus, peut-être qu'elle n'apparaît que tous les cent ans et seulement à ceux qui en sont dignes. Demain elle aura disparu, flottant dans le temps, vers l'avenir…

Bien loin des rêveries poétiques de Lolo, Michel pense à la proposition que viennent de lui faire les

Straus. Il sait que ce n'est pas une parole en l'air et qu'il ne tiendra qu'à lui que la proposition se concrétise. Fournisseur des grands magasins Macy's! Mais c'est la fortune assurée!

Michel se sent pris de vertige et cherche à se raisonner. Ce n'est pas le moment de faire des châteaux en Espagne, plus exactement en Amérique! Mais pourquoi laisser échapper une si superbe occasion? Il se sent poussé par une envie qu'il emploie toutes ses forces à réprimer. Laisser passer deux ou trois jours de réflexion avant de reparler aux Straus de leur proposition, peser le pour et le contre. Ne pas se précipiter. Avant tout, il faudra les prier de respecter son incognito.

Soudain, la pensée de la détresse de ceux qui attendent, à Nice, de savoir ce que sont devenus les petits s'impose à lui. Il imagine le chagrin du bon grand-père Antonio, privé de ses petits-enfants, la douleur bruyante d'Angelina, le mutisme désolé de Marcelle. Non, il le sent, elle n'a pas reçu sa lettre, elle ne la recevra pas. La femme de chambre londonienne n'a pas tenu sa promesse! Marcelle doit craindre le pire, un enlèvement crapuleux. Le temps, en s'écoulant sans apporter de nouvelles, ravine son espérance! Michel, soudain, redoute qu'elle ne résiste pas à tant de souffrance, qu'une phase dépressive comme celles auxquelles elle est malheureusement trop souvent sujette ne la pousse à attenter à sa vie. Alors, ce serait lui, Michel, le responsable, le meurtrier. Tiendra-t-elle jusqu'à leur arrivée à New York d'où Michel lui enverra un télégramme? Ne sera-t-il pas trop tard?

L'image de Marcelle au bord du suicide est soudain occultée dans l'imagination de Michel par celle, irritante, insupportable, du marquis Rey de Villarey.

« Et quand je pense que c'est moi qui ai proposé qu'il soit le parrain de Momon! »

Tout à coup, un doute horrible s'impose à lui. Michel compte à rebours : Momon a tout juste deux ans, Rey de Villarey était peut-être déjà l'amant de Marcelle au moment de sa conception! Ne serait-il pas son père? Il prend l'enfant sur ses genoux et observe attentivement son visage rond de bébé. Pour l'instant, difficile de dire s'il ressemble plus à Rey de Villarey qu'à Navratil. Insupportable incertitude, qui n'entame pas une seconde l'amour qu'il ressent pour Momon. Seulement Michel sent la colère l'envahir : il ne peut réprimer la grande vague de haine qui le submerge contre son ancien ami, ce destructeur de famille, ce voleur de bonheur! « Inutile de s'inquiéter au sujet de Marcelle, le marquis veille sur elle! » se dit-il avec dépit. Il a tourné la page : avec Marcelle, tout est fini.

L'obscurité est complète quand le navire se remet en mouvement. Il entreprend de virer sur place, lentement, décrivant un cercle d'écume presque aussi grand que la ville de Queenstown. Bientôt, l'on ne distingue plus que l'immensité liquide où se reflètent la nuit et ses myriades d'étoiles qui, dans l'eau, prennent des airs de comètes. Michel se sent soulagé. Il se lève, serrant tendrement le tout-petit endormi dans ses bras, et appelle doucement Lolo. Docile, l'enfant lui emboîte le pas. Michel dépose Momon sur son lit dans leur cabine et prend avec l'aîné le chemin de la salle à manger.

Leur table affiche complet. Un dernier convive s'est joint à leur petite société. Il occupe également une cabine proche de celle des Hoffmann. Deux bouteilles de champagne attendent déjà dans leur seau à glace le moment où l'on portera un toast en l'honneur du nouveau venu, un jeune professeur anglais, Lawrence Beesley, qui va rendre visite à son frère en Amérique.

Il est beaucoup question, ce soir-là, de l'émigration irlandaise. Lawrence est l'un des rares Irlandais embarqués à Queenstown à voyager en deuxième classe. Presque tous les autres sont allés grossir le flot des émigrants en troisième classe. Ils sont originaires, pour la plupart, du sud et de l'ouest de l'Irlande où ils ont vendu sans trop de regrets leur terre, leur petite propriété foncière ou leur affaire. Certains, ne possédant rien, n'ont laissé derrière eux que leurs vieux parents. Tous vont de l'avant, espérant un prodige sur cette terre nouvelle où tous les espoirs sont permis. Beesley explique que Queenstown représente une blessure que l'Irlande ne parvient pas à cicatriser. Depuis plus de cent ans, le flot de l'émigration vers l'Amérique du Nord ne s'est plus tari et tout ce que l'Irlande a de plus jeune et de meilleur s'en va, la laissant exsangue. Michel connaît bien le problème! Que faire d'autre qu'émigrer quand les perspectives d'avenir sont nulles! Il se voit encore, cheminant durant de longs jours, lourd de beaux projets et d'espérance, et sa bourse si légère. Et voilà que maintenant, il va recommencer de zéro. Michel se sent animé de sentiments amicaux à l'égard de Lawrence. Décidément, ce voyage sur le *Titanic* restera l'étape la plus marquante de sa vie!

6

Dans le ventre du monstre

Libéré de ses appréhensions, Michel s'est éveillé l'esprit serein en ce matin du 12 avril. Étendu sur son lit confortable, hublot grand ouvert au-dessus de lui, il a le loisir d'apprécier le silence exceptionnel qui règne sur le navire, le premier peut-être au monde à offrir à ses passagers ce luxe aussi inouï. Il prête l'oreille au moindre bruissement de la mer, au plus léger clapotis. Puis, comme il a la nostalgie de cette étendue infinie sur laquelle le majestueux vaisseau glisse miraculeusement, il s'agenouille sur son lit et se penche par le hublot, avide de ce ciel transparent vif et doux, léger, reflet impalpable de l'océan au-dessus duquel il lui semble planer, comme l'un de ces innombrables goélands argentés qui ont poursuivi le bateau jusqu'à hier de leurs cris réguliers et percutants. Comme la nuit porte conseil, Michel a décidé de profiter de ces quelques jours de calme pour faire le vide en lui-même afin de mieux recevoir ce qui se présente à lui. Il ne lui suffit pas d'avoir transformé son apparence physique, il lui faut faire peau neuve de l'intérieur aussi, se remettre en harmonie avec le monde extérieur et se débarrasser une fois pour toutes de ces mouvements de colère qui l'aveuglent parfois et l'enferment dans un cercle sans fin.

Michel observe son fils Lolo avec un intérêt grandissant. Il retrouve en lui certaines profondeurs de sentiments, certaines délicatesses de Marcelle. Edmond est encore trop jeune pour que l'on puisse lire en lui. Mais l'aîné fait preuve sans aucun doute d'une étonnante maturité. Le fait qu'il ait appris à lire seul, par exemple, alors qu'il n'a que trois ans et neuf mois, n'est qu'un signe parmi d'autres. Michel songe qu'il lui faudra développer en Lolo d'autres aptitudes que ses dons intellectuels. Il veut en faire un homme d'affaires, au sens pratique très développé, et non pas un rêveur. Marcelle, fascinée par les hommes de lettres, souhaite déjà qu'il devienne enseignant. Mais Michel sait mieux qu'elle ce qui convient à ses fils! Il a eu raison de les lui enlever.

Pourtant il sent bien qu'il cherche à se rassurer. Il en prend conscience et fait un effort d'objectivité. Ne doit-il pas admettre que Marcelle n'a pas tous les torts? Qu'elle est de nature tendre, aimante, si jeune, fragile, manquant de confiance en soi. Son caractère à lui, pétri de contradictions, autoritaire et fantaisiste, généreux et égocentrique, impulsif et volontaire, doit être bien difficile à supporter dans la vie quotidienne. A-t-il laissé suffisamment de liberté à sa jeune femme? A-t-il su la conseiller, a-t-il cherché à la comprendre? Il lui faut bien s'avouer que non. Marcelle voulait devenir cantatrice, il s'y opposait. Elle savait que Michel n'aurait jamais supporté qu'elle agisse contre sa volonté. Fallait-il s'étonner qu'elle lui ait préféré quelqu'un qui admirait son talent et l'encourageait à cultiver son art?

Lolo s'éveille avec le sentiment pressant qu'il ne va pas perdre son temps à dormir, qu'une matinée chargée l'attend. Aussi grimpe-t-il sur le lit de son père. Ravi d'être distrait de ses tristes pensées, Michel fait semblant de dormir pour que Lolo se glisse près de lui. L'enfant l'embrasse à plusieurs reprises et rit aux éclats parce que le collier de barbe le chatouille, une sensation nouvelle. Michel rit aussi et tout ce bruit joyeux éveille Edmond. Déjà huit heures, et il y a tout un programme de réjouissances prévu depuis la veille au soir : bain turc, séance de piscine, petit déjeuner à la salle à manger de troisième classe, sans oublier le rendez-vous de Lolo avec l'ingénieur Andrews, à dix heures.

Dans les couloirs de seconde classe, ils rencontrent fort peu de monde. Mais les deux salles à manger de troisième classe qu'ils traversent pour se rendre aux bains turcs sont déjà à moitié pleines et le service du petit déjeuner a commencé. L'assistance est très mêlée : fonctionnaires, commerçants, artisans, quelques paysans et beaucoup d'ouvriers : métallurgistes, mineurs excédés par leurs conditions de travail, fondeurs, manœuvres, etc.

On parle au moins vingt langues différentes et l'interprète du bord, M. Müller, dont le travail principal consiste à aider les passagers de troisième classe à se faire comprendre du personnel, a aussi fort à faire pour leur permettre de communiquer entre eux. Visiblement, les gens se sont principalement regroupés par catégorie sociale. Comme il règne une extraordinaire bonne humeur, la plupart des passagers découvrant une vie de luxe et de loisir qu'ils n'auraient pas seulement été capables d'imaginer, les groupes se mêlent de plus en plus fréquemment, les gens manifestent le désir de découvrir d'autres coutumes, d'autres modes de vie que les leurs. Aussi l'animation particulière à la troisième classe fascine-t-elle les trois Navratil. Michel a beau se sentir à l'aise avec ses riches clients, ses dons de diplomate ne l'empêchent pas de garder du recul par rapport à eux. S'il s'entend très bien avec Bedford, c'est par une analogie de goûts et d'affinités, et pas le moins du monde par arrivisme. Ce qui lui plaît chez les Straus, c'est le parfum de terroir qu'ils apportent avec eux. Rien ne le rebute plus que les oisifs qui vivent de leurs rentes. Gagner une belle position sociale, oui, mais à la sueur de son front et par ses propres mérites ! Aussi se sent-il chez lui parmi les émigrants. « Au fond, pense Michel, la seule différence entre eux et les passagers de première classe, là-haut, c'est que les premiers n'ont pas encore fait leur chemin et que les seconds ont déjà réussi. » Il s'amuse à calculer combien de gens, ici, au pont F, parviendront à franchir les obstacles qui les séparent du pont A du *Titanic*. Question d'énergie personnelle, de conviction, d'obstination. Il suffit de croire en soi et tout devient possible.

Déjà les enfants ont trouvé de petits compagnons de jeux. Michel se demande s'il ne va pas s'asseoir au hasard et engager la conversation avec ses voisins lorsque Lolo accourt.

« Papa! Et la piscine? Allons vite nous baigner et nous reviendrons ici pour jouer, tu veux bien? »

Michel voudrait bien, mais Momon a disparu. On se met à sa recherche, et au moment où Lolo l'aperçoit, des voix familières appellent :

« Michel, Lolo, venez vous asseoir avec nous! »

Mirella et Trevor, que Michel n'avait pas remarqués, sont attablés devant un plantureux petit déjeuner en compagnie de quelques jeunes gens et jeunes filles parmi lesquels les boucles brunes de Mirella tranchent bizarrement sur le fond paille ou roux de la tonalité générale. On fait de rapides présentations. Il y a là des Irlandais : Daniel Buckley, Martin Callagher, Carl Johnson; un Norvégien, Olaus Abelseth, qui semble s'occuper tout particulièrement de Mirella et un Slovaque, originaire de Bratislava comme Michel, Otto Schmidt, qui a fait ses études de musique à Vienne en gagnant sa vie comme pianiste de caf'conc'.

Tous ne se connaissent que de la veille au soir mais Otto s'est mis spontanément au piano après le dîner et l'on a dansé jusqu'au matin! Venus en reconnaissance, Mirella et Trevor se sont joints à la fête. Personne ne s'est couché, l'on a attendu au fumoir l'heure du petit déjeuner. Michel remarque avec intérêt la transformation opérée en si peu de temps en Mirella. Elle parle peu, rougit souvent et semble avoir perdu toute spontanéité. Elle ne quitte plus des yeux Olaus Abelseth qui la couve du regard. Et comme la notion du temps change totalement en mer, l'évolution de leurs sentiments qui, sur la terre ferme, aurait peut-être nécessité de longs jours, s'est accomplie en quelques heures.

Le petit déjeuner terminé, la plupart des jeunes gens, assommés de sommeil, regagnent leur cabine, mais Trevor, Otto Schmidt et Martin Callagher accompagnent les Hoffmann.

Une fois aux bains turcs, Lolo s'immobilise, jetant des regards inquiets autour de lui. La chaleur et la vapeur augmentant, il semble soudain gagné de panique et se précipite sur la porte de sortie qu'il ne réussit pas à ouvrir.

Il hurle : « Au feu! » et soudain Michel comprend. « Occupez-vous d'Edmond et rejoignez-nous à la piscine », lance-t-il à ses compagnons et, saisissant les vêtements d'une main et son fils de l'autre, il sort en courant.

Lolo sanglote si fort qu'il suffoque. Parvenu à la piscine où il fait une température agréable, Michel s'assied sur un banc, prend Lolo sur ses genoux et le serre contre lui en le berçant pour le calmer.

« Ce n'est pas le feu qui provoque la vapeur mais l'eau chaude, ce n'est pas dangereux ! » explique-t-il.

Furieux contre lui-même, Michel se demande comment il a pu conduire Lolo aux bains turcs. Il aurait pu deviner l'effet que cela produirait sur lui ! Un an et demi plus tôt en effet, Lolo, endormi dans sa chambre d'hôtel, à Vichy où Marcelle faisait une cure, avait failli être la proie des flammes, un incendie s'étant déclaré en l'absence des parents. Quel traumatisme pour un si petit enfant !

Mais après quelques minutes, Trevor, Momon, Martin et Otto les rejoignent et l'incident est oublié.

La piscine est aussi une innovation conçue par l'ingénieur Andrews pour le *Titanic* et son jumeau, l'*Olympic* ! C'est un bassin rectangulaire recouvert de carrelets de céramique verts et bleus, en pente douce, d'une vingtaine de mètres de long et de cinq mètres de large. Il est éclairé d'un côté par des hublots avec vue sur la mer, et de l'autre par des lampes électriques (tout le navire bénéficie déjà des miracles de la fée Électricité). Les cabines de bain donnent sur une étroite galerie bordée de petites colonnes qui longe le bassin.

Tandis que Michel, pour son plus grand plaisir, évolue dans l'eau fraîche en compagnie d'Otto Schmidt, de Martin Callagher et de Trevor, Momon et Lolo, remis de ses émotions, reçoivent leur première leçon de natation. Après que le maître nageur les a promenés durant toute la séance au bout d'une perche, avec une ceinture de liège autour de la taille, les petits proclament à qui veut bien les entendre que maintenant ils savent nager.

Avec Schmidt, Michel a pu évoquer de vieux souvenirs. Ensemble, ils ont ressuscité un passé bien antérieur à son mariage et à son émigration. Otto a parlé de Vienne, cette ville si familière à Michel qui se souvient du temps où, encore apprenti à Presbourg, il faisait des pèlerinages dans la capitale de l'empire d'Autriche-Hongrie parce qu'il y trouvait son inspiration.

Trevor et Lolo arrivent avec dix minutes d'avance au rendez-vous fixé par l'ingénieur Andrews. Le temps est toujours aussi beau et le pont rutilant de peinture neuve resplendit comme un miroir sous les rayons d'un soleil encore oblique. Il semble toutefois à Lolo que les trois cheminées fument plus fort que la veille et que l'épais panache sombre a déjà imprimé sa trace noirâtre sur le jaune frais. Trevor, à qui il le fait remarquer, explique que le navire augmente régulièrement sa vitesse. On file aujourd'hui vingt et un nœuds[1] et l'on ira certainement encore plus vite durant la journée. Les machines se rodent, on ne peut pas les brusquer. Il faut attendre qu'elles s'habituent à leur travail ! Phillips, jouissant de quelques minutes de calme, prend le soleil sur un fauteuil transatlantique à la porte de la cabine. Il raconte que certains milliardaires américains ont transmis à

---

1. 1 nœud représente 1 mille par heure, 21 nœuds équivalent donc à 38,89 km heure.

New York des paris concernant la vitesse moyenne du *Titanic* pendant ce premier voyage.

« Ils ont parié des milliers de dollars! D'ailleurs, la moitié des messages que je dois transmettre concerne des affaires d'argent! Je brasse des fortunes! »

Dans la cabine, le récepteur est en train de crépiter. Bride, apercevant Trevor, lui fait signe de noter le message à sa place, histoire de se faire la main. Sous le regard attentif de Bride et de Lolo, Trevor commence à transcrire le télégramme, lettre après lettre, quand Phillips appelle, d'une voix sonore :

« On demande un petit garçon! »

Lolo court vers la porte et manque heurter Thomas Andrews qui s'avance vers lui. Tous deux s'éloignent vers l'ascenseur électrique qui conduit directement au pont F, où est située la salle des turbines. Comme l'on se trouve à la proue du navire, il faut parcourir une centaine de mètres de couloirs, traverser les locaux réservés à l'équipage et aux stewards de troisième classe et les deux salles à manger pour arriver au but.

L'univers où Lolo pénètre est si inimaginable, pour cet enfant que la vie a jusque-là privilégié, qu'il en éprouve un choc. La salle des turbines, de même que la suivante, occupe pratiquement la même superficie que la bibliothèque et elle va se rétrécissant vers le haut, jusqu'aux ponts B et A. Elle rappelle la forme d'un entonnoir et Lolo se sent aussitôt péniblement oppressé. Un vacarme insupportable y règne, confiné dans cet espace réverbérant mais bien isolé phoniquement puisque tout le reste du paquebot jouit d'un silence exceptionnel. Les grandes roues crénelées sont partiellement recouvertes de coffrages et Lolo est fasciné par la gigantesque tige d'acier qui en sort à plusieurs endroits et se meut en cadence. Chaque turbine est coiffée d'un énorme tuyau qui rejoint la salle voisine, où fonctionnent une telle foule d'engins que Lolo ne sait plus où donner de la tête. Par gestes, son compagnon lui fait remarquer que les tuyaux qui aboutissent aux machines viennent des salles précédentes, c'est-à-dire des chaufferies. Les mécaniciens surveillent le bon fonctionnement de leurs engins mais, à part la chaleur et le bruit, leur travail n'a somme toute rien d'inhumain. Inversement, ce qu'il découvre dans les chaufferies le suffoque, cette fois au sens propre du terme. Les chaudières, qui se prolongent sur toute la hauteur du navire, comportent un énorme foyer qu'il faut non seulement entretenir, mais activer. Régulièrement parvient, dans cet enfer souterrain, l'ordre d'augmenter le rendement des machines et, partant, des chaudières. Des dizaines d'ouvriers, les chauffeurs, debout torse nu devant la gueule ouverte des monstres incandescents, y enfournent des pelletées de charbon qui semblent minuscules par rapport à l'immensité de la fournaise. Comme il règne une température de cinquante à soixante degrés devant les chaudières, il arrive souvent qu'un chauffeur perde connaissance au beau milieu de son service.

Heureusement pour Lolo, sa terreur des flammes ne se réveille pas à la vue de tous ces brasiers.

« Regarde bien – Andrews hurle pour se faire entendre de Lolo –, les tuyaux que tu as vus tout à l'heure proviennent de ces grands réservoirs d'eau situés au-dessus du foyer. Chauffée, l'eau devient de la vapeur, actionne les machines qui font tourner les hélices qui propulsent le bateau. Exactement comme le couvercle d'une casserole qui se soulève quand l'eau bout. Et il en faut de la force pour faire tourner ces monstres qui pèsent trente-huit tonnes et sont aussi hauts qu'une maison ! »

Quel soulagement de se retrouver hors de cet enfer ! Que la vie de ces hommes est donc pénible ! Lolo reste silencieux. Il compare sa vie et celle de ces hommes et se trouve bien privilégié. Il a presque envie de pleurer. Soudain il a une idée. Il a entendu parler des forçats qui vont au bagne. Peut-être est-ce cela le bagne. Mais l'ingénieur Andrews répond que non, tous ces ouvriers sont des volontaires. Au moins sont-ils bien payés pour leur travail ? Non, pas très bien. Alors à quoi bon tout cela ? Lolo n'y comprend plus rien du tout.

Les voilà devant les compartiments étanches, qui font la réputation du *Titanic*, « le bateau qui ne peut pas couler ». Andrews en explique le fonctionnement qui est très simple. Si l'un des compartiments est éventré, l'eau reste prisonnière à l'intérieur. Effectivement, des cloisons étanches séparent les compartiments de un à cinq, à l'avant et à l'arrière du vaisseau. Mais à partir du compartiment six, la cloison s'arrête à un mètre du plafond. C'est alors que Lolo, levant la tête, observe gravement :

« Mais lorsque l'eau arrive en haut du compartiment, elle déborde !

— C'est exact, mon enfant. Elle coule dans le
compartiment suivant qui se remplit à son tour et
déborde, jusqu'à ce que tous soient pleins.
Seulement jamais nous n'aurons une avarie aussi
grave ! Il y a partout des pompes prêtes à entrer en
action et à aspirer l'eau pour la rejeter à la mer.
Ainsi, les compartiments n'ont pas le temps de se
remplir. Vois-tu, la coque est double à l'avant et à
l'arrière, si bien que nous ne risquons rien.

— Oui, papa me l'a dit.

— Maintenant si tu en as envie, nous allons
monter sur la passerelle de commandement, je te
montrerai la salle des cartes. »

Lolo remet sa petite main dans celle d'Andrews,
l'on reprend un ascenseur, et l'on se retrouve à la
proue, tout près du poste de commandement. Il y
a là plusieurs officiers de bord, en particulier, le
commandant en second, Henry Wilde, un homme
de trente-huit ans, grand, robuste, large d'épaules,
et qui a hésité, malgré sa longue expérience de la
mer aux côtés du capitaine Smith, à accepter ce
poste pourtant très flatteur ; il y a aussi William
Murdoch, le premier officier, un vieux routier, un
tendre, qui a su éviter plusieurs catastrophes, en particulier à bord de l'*Arabic* ; et Charles Lightoller, le second officier, un vrai dur, ambitieux et efficace. Il est
midi et les officiers s'apprêtent à relever la position
du soleil par rapport à l'horizon. Andrews recom-

mande le petit garçon à Murdoch et prend congé.

« Tu vois petit, explique Murdoch, lorsqu'on connaît la position exacte du soleil, l'on peut calculer celle du bateau sur l'océan. On la note sur une carte de l'Atlantique, et comme cela se fait tous les jours, l'on peut tracer avec assez d'exactitude la route qu'on a suivie. Viens, je vais te montrer. »

Ils pénètrent dans la salle des cartes où le commandant Smith est précisément occupé à tracer la position du navire sur une immense carte de l'océan Atlantique, toute quadrillée de lignes horizontales et verticales. Lolo reste immobile, la respiration courte. Lui qui rêvait de la vie prestigieuse des grands capitaines, il se voit déjà à la tête d'un navire géant, plus rapide encore que celui-ci et qui, peut-être, serait capable de plonger sous l'eau. Murdoch l'entraîne vers la barre, qu'il a la permission de tenir en même temps que le timonier. Que d'émotions pour un si petit garçon!

« Comme ça, tu pourras dire à tes parents que tu as piloté le *Titanic*! » commente en riant le premier officier.

Au même moment, deux hommes d'équipage se présentent à la passerelle et demandent à parler au capitaine.

« Qui êtes-vous? demande le capitaine d'un ton sec.

— Frederick Fleet et Reginald Lee, vigies. »

Tous deux sont au garde-à-vous.

« Repos! Que voulez-vous?

— Nous ne retrouvons pas les jumelles. Nous

avons signalé leur disparition au second officier après le départ de Southampton mais nous n'en avons pas reçu depuis.

— Qu'est-ce que c'est que cette histoire? C'est pour cela que vous me dérangez? Voyez avec Lightoller, c'est son affaire, pas la mienne! » répond le capitaine.

Les vigies font le salut réglementaire et se retirent, visiblement très en colère. À plusieurs reprises, elles ont réclamé de nouvelles jumelles auprès de l'officier, mais en vain. En réalité, sur ce navire prestigieux, il n'y en a pas en nombre suffisant, et Lightoller préfère garder les siennes pour lui.

« Tu te rends compte de ce que nous risquons, Bob! commente Fleet. Pour cette nuit, pas d'inquiétude à avoir, mais dans deux jours, ce sera une autre paire de manches! »

Lolo les regarde partir. Il est déçu. Il n'a naturellement rien compris au dialogue, mais il a vu le capitaine rabrouer les matelots. Il lui déplaît de ne pas pouvoir garder en mémoire l'image idyllique qu'il s'était faite de lui.

Murdoch lui demande s'il désire encore poser des questions. Lolo ne se fait pas prier. Depuis un moment déjà, il réfléchit au problème suivant : comment peut-on conduire la nuit? Est-ce que le *Titanic* possède des phares, comme les automobiles? Non, il n'existe aucun phare assez puissant pour un aussi grand paquebot. Mais alors à quoi servent les projecteurs sur le pont? À y voir clair, tout simplement, pour qu'on puisse se promener la nuit sans se cogner partout. Leur portée n'est pas suffisante pour éclairer la mer, tout en bas. Pour cela, rien ne vaut les vigies, postées sur le nid de pie, tiens, ces deux hommes que Lolo vient de voir. Elles sont au nombre de six et se relayent deux par deux toutes les quatre heures. Elles ont d'excellents yeux et peuvent voir de nuit un gros obstacle à cinq cents mètres de distance, par beau temps. Par mauvais temps, eh bien on va plus lentement! Lorsqu'une vigie aperçoit quelque chose, elle téléphone à la passerelle pour le signaler, et l'officier de garde transmet au timonier l'ordre de dévier sa route. Murdoch explique que de façon générale, les officiers ou les matelots de service durant la nuit doivent arriver à leur poste un quart d'heure avant le début de leur service car leurs yeux doivent s'habituer à l'obscurité. Les gens qui n'ont pas une bonne vue ne sont pas admis dans la marine!

Murdoch fait reconduire Lolo jusqu'à sa cabine par un matelot. L'enfant n'a été qu'à moitié rassuré par ses explications. Il pense aux petits bateaux de pêche dont il a aperçu la flottille près de Queenstown. De jour, on les voit à peine. Que leur arrive-t-il lorsqu'ils se trouvent, de nuit, sur la route d'un *Titanic*?

7

Première classe

Lolo est très désappointé de ne pouvoir raconter tout de suite ses aventures à son père. Plus tard, a dit Michel qui a reçu une invitation de Charles Bedford pour un déjeuner à la salle à manger de première classe : les Straus seront présents et ne trahiront pas sa véritable identité, Charles les a prévenus que Michel tenait à son incognito, comme Lady Duff Gordon! En chemin, comme il a hâte de s'épancher, Lolo prend son petit frère pour confident. Il entame une description de sa visite adaptée à son auditeur. Momon l'écoute, subjugué. Mais, une fois arrivé, Lolo doit se taire et ronger son frein.

Un maître d'hôtel, qui semble les attendre, les conduit à une grande table occupée par plusieurs convives. Charles Bedford se lève en apercevant ses invités et va à leur rencontre.

« Bonjour Michel! Soyez le bienvenu! »

Charles a pris un enfant dans chaque bras et il murmure à l'oreille de Lolo :

« Regarde donc qui est assis à notre table! »

L'ingénieur Andrews! Et les Straus! Et M. Stead! Lolo en oublie de regarder autour de lui. Pourtant, il y a de quoi! Ce qui distingue essentiellement cette salle à manger de celle des secondes classes, c'est moins son luxe que l'espace dont disposent les dîneurs. Les tables, au lieu d'être tassées les unes auprès des autres, sont suffisamment espacées entre elles pour qu'on n'entende pas la conversation des voisins. Les murs sont lambrissés de chêne, comme ceux du grand escalier, les fauteuils, de style Jacques Ier d'Angleterre, sont tapissés de tissus à ramages façon main.

Michel, d'autant plus gêné qu'il est en retard, s'approche de la table avec des excuses toutes prêtes. Mais avant même qu'il n'ouvre la bouche, Thomas Andrews se lève et lui tend la main.

« Monsieur Hoffmann, je suis ravi de faire votre connaissance. Votre grand garçon que voilà est un compagnon bien agréable! (Lolo, ravi mais gêné, se sent rougir.) J'ai informé nos amis de notre promenade à travers le vaisseau; comme j'ai déposé votre fils à midi à la passerelle de commandement, j'ai prévu votre retard et vous ai excusé auprès d'eux! Dites-moi, votre enfant m'a étonné par sa maturité. Quel âge a-t-il donc?

— Trois ans et dix mois!

— J'ai peine à le croire. Il m'a posé des questions fort pertinentes et il possède un sens de l'observation et de l'orientation qui fait défaut à bien des adultes! »

Ida et Isidor Straus dévisagent avec intérêt Lolo et Momon. Bedford leur a signalé que Michel voyageait, comme Mme Lucile, sous un pseudonyme.

« Mon cher monsieur Hoffmann – Navratil pousse un soupir de soulagement, les Straus jouent le jeu –, vous avez de bien beaux enfants. Dans vingt ans, vous aurez des associés tout trouvés!

— Laissez-moi vous dire encore que nous ne sommes pas encore revenus de notre surprise en vous trouvant ici! lui confie Ida, placée à sa gauche. Vous avez fait preuve de courage en abandonnant une affaire aussi florissante que la vôtre, sans la moindre assurance concernant l'avenir. Nous nous réjouissons de nous être trouvés au bon moment sur votre route, nous allons pouvoir vous aider à démarrer votre nouvelle vie!

— Je vous en suis profondément reconnaissant, répond Michel. L'idée d'émigrer aux États-Unis m'est venue voilà plusieurs mois. L'attrait de l'inconnu peut-être, et le besoin d'éprouver mes talents, de les confronter aux réalités d'un pays neuf… Du courage, il en faut, mais aussi beaucoup d'inconscience!

— Ne vous calomniez pas, monsieur Hoffmann,

intervient Isidor Straus. Je connais votre compétence. Vous avez parfaitement raison de vouloir vivre aux États-Unis, le marché de Nice est devenu trop étroit pour vous! J'aime qu'un jeune homme ait l'esprit d'initiative. Comptez sur nous pour vous donner un coup de pouce. Vous savez que je ne dis jamais rien en l'air. Ce que je promets, je le tiens! »

Michel remercie avec confusion. D'un côté, il est infiniment reconnaissant aux Straus pour l'aide proposée et il sent un immense espoir l'envahir, de l'autre, il se sent indigne de l'estime qu'ils lui portent. S'ils savaient!... Il n'ose croiser le regard de Charles qui sait à quoi s'en tenir sur les conditions de son émigration.

Lolo, ravi de se retrouver à la table de son héros, ne quitte pas des yeux l'ingénieur Andrews qui lui sourit avant de raconter en quelques phrases leur expédition. Il passe sous silence les réflexions de Lolo concernant l'insubmersibilité du navire mais il n'a cessé d'y penser depuis lors et cette question commence à l'obséder. Il faut absolument changer les cloisons des compartiments centraux pour assurer leur étanchéité. Mais comme cela ne peut se faire qu'aux chantiers de Belfast, il lui faut patienter jusqu'au retour.

Tout naturellement, le *Titanic* devient l'objet de la conversation. Andrews souhaite qu'on formule des critiques, car il désire améliorer les performances de son bateau. Loin de s'estimer satisfait de son œuvre, il passe son temps à l'examiner sous toutes ses coutures dans le but de découvrir des défauts qu'il n'aurait pas encore aperçus. L'une de ses idées fixes porte sur le salon des dames qu'il se désole de voir si peu fréquenté.

« Cher monsieur Andrews, intervient Ida Straus, il ne faut pas vous inquiéter. Ce n'est pas votre salon qui est en cause, ce sont les temps qui changent. Il y a de plus en plus de femmes qui fument, et de moins en moins qui aiment se confiner à la société de leurs semblables. Ne parlons pas des suffragettes[1], mais regardez mon cas ; je ne m'y rends pas, tout simplement parce que je ne me sépare jamais de mon mari.

— C'est la raison pour laquelle vous me voyez rarement au fumoir, messieurs, ajoute Isidor. Je ne verrais pour ma part aucun inconvénient à ce que ma femme m'y accompagne, mais elle ne supporte guère l'odeur de la fumée ; chez nous, je ne fume que dans mon bureau. En ce qui concerne le salon, je serai franc monsieur Andrews. Vous êtes, sur ce point, en retard sur notre temps. Je ne vois vraiment pas l'intérêt de ces ghettos où l'on veut enfermer le beau sexe. C'est le siècle passé qui a confiné les femmes à la cuisine ou au foyer pendant que les hommes vont où bon leur semble : *Kinder*, *Kirche*, *Küche*, les trois K comme nous disons en Allemagne, enfants, église, cuisine. À l'âge de la technique, après la révolution industrielle, il est juste que les mœurs évoluent en même temps

---

1. De nombreuses Anglaises militèrent, à partir de 1906, pour que le droit de vote soit donné aux femmes. Le mouvement s'étendit ensuite à l'Europe et à l'Amérique.

que la science. Les femmes s'émancipent, elles ont raison ! »

Stead et Bedford approuvent cette belle tirade. Andrews ne semble pas convaincu. Quant à Michel, il sait trop bien ce que signifie pour lui cette évolution des mœurs. Il se tait, s'efforçant de chasser ces souvenirs obsessionnels qui cognent plusieurs fois par jour à sa lucarne.

Lolo et Momon ont obtenu la permission de se lever de table, après le service principal. Mais comme le temps leur semble long sur ce pont sans enfants. Les cinq enfants de première classe, tous gardés par leur nurse, restent invisibles ! Lassés de courir sans but, les deux petits traversent la pièce pour rejoindre leur père. Soudain Lolo tombe en arrêt devant une ravissante jeune femme, Madeline Astor, en tête à tête avec son mari, le célèbre milliardaire John Astor, un homme d'une cinquantaine d'années, maigre, énergique, pourvu d'abondantes moustaches frisées au fer. C'est la belle dame du train, elle est presque aussi belle que maman[1].

« Madeline, j'ai remis mon pari à Simson, notre

---

1. Lolo fait allusion à Madeline Astor, rencontrée dans le train-paquebot entre Londres et Southampton. Son mari, John Jacob Astor, est le plus riche de tous les milliardaires embarqués sur le *Titanic*. Il doit sa fortune à son arrière-grand-père, un paysan émigré aux États-Unis en 1783 qui avait fait le commerce des peaux et investi ses bénéfices dans des biens immobiliers. Exactement ce dont rêve Navratil : faire fortune à la seule force de ses poignets ! L'actuel John Astor possède des quartiers entiers de New York. Divorcé depuis trois ans de sa première femme, il est fort mal vu dans la haute société bourgeoise, le divorce n'étant pas encore entré dans les mœurs. Madeline, sa jeune femme de dix-huit ans, épousée en 1911, et lui, achèvent leur lune de miel sur le *Titanic*.

steward, avant le déjeuner : j'ai parié que le *Titanic* parcourrait aujourd'hui plus de cinq cents milles ! Hier, avec l'escale à Queenstown, nous avons perdu du temps, mais aujourd'hui, le bateau file vingt et un nœuds. Nous dépasserons donc le cap des cinq cents. Guggenheim a opté pour quatre cent cinquante, Widener pour quatre cent quatre-vingts et Archibald Gracie, toujours optimiste, pour cinq cent dix. Vous verrez, ma chère, cela nous rapportera trois mille dollars !

— Vous ne vous lassez donc pas de gagner de l'argent, mon cher John !

— De gagner de l'argent, si, de vous, jamais ! »

C'est à cet instant précis que Lolo se plante devant Madeline qui l'accueille avec soulagement tant elle craint que son imprudent mari ne se laisse aller à l'embrasser en public, ce qui ne manquerait pas de choquer le voisinage. Elle souffre beaucoup d'être tenue au ban de la bonne société new-yorkaise qui ne lui pardonne pas son mariage avec un divorcé. Elle ne tient pas à voir son mari verser de l'huile sur le feu !

« Tiens, mais c'est le petit garçon du train. Comment va ta bosse, mon chéri ? »

Madeline a pris l'enfant sur ses genoux et le câline. Soudain elle sent une petite main qui tire sur la sienne.

« C'est Momon, mon petit frère ! »

La jeune femme sait assez de français pour comprendre cela. Elle fait un peu de place sur ses genoux et attire le bébé à elle. Son parfum enveloppe

106

les enfants d'un effluve magique, ils ne disent rien, envoûtés, mais ils sourient. Elle leur murmure un mot à l'oreille et les dépose à terre. Puis elle fouille dans sa bourse en soie et en sort deux pièces d'argent qu'elle leur distribue.

Michel a suivi la scène de loin, comme tous les convives, et il voit rouge. Il lui déplaît fortement de voir ses enfants recevoir l'argent d'une inconnue.

« Cette jeune femme est riche et célèbre, murmure Charles à son oreille. Il faut la laisser faire. »

Michel se contente donc de se lever au retour des petits et de saluer l'inconnue, qui répond d'un signe de tête, ainsi que John Astor. L'incident est clos.

Stead n'a pour ainsi dire pas participé à la conversation. Il observe les tables voisines. Ses pensées n'ont rien de gai. Il supporte difficilement l'insouciance générale. Les paris autour de la distance parcourue par le bateau en vingt-quatre heures, par exemple, l'irritent profondément. Il trouve la bêtise humaine insondable. Mais ce père et ses fils assis près de lui l'intriguent. Ils ne sont pas comme les autres. Étonnante par exemple l'amitié qui lie le jeune homme à Bedford. Charles ne la donne pourtant pas au premier venu! Et l'indépendance de jugement de Lolo, ce drôle de petit garçon attachant qui devine tant de choses, surprend Stead et le séduit.

« Alors, ce n'est pas vrai que le bateau ne peut pas couler », murmure une petite voix près de son oreille.

C'est Lolo qui s'est glissé contre lui. « Étonnant, cet enfant », pense Stead. C'est de la transmission de pensée. Lui aussi songe à un danger possible pour le *Titanic*.

« Non, Lolo, ce n'est pas vrai, répond Stead. Un bateau qui ne peut pas couler, ça n'existe que dans les contes de fées.

— Oui, j'y pensais. Mais pourquoi ils le croient tous ? Même les grands ?

— Surtout les grands, Lolo. Souvent en grandissant, on se croit très fort, plus fort que les autres. Mais si tu demandes à l'ingénieur Andrews ce qu'il pense de son bateau, tu verras qu'il sait bien qu'il peut couler et qu'il est seulement plus solide et plus grand que les autres.

— Oui, il me l'a dit. »

Un petit signe de connivence et, déjà, Lolo s'éloigne. Stead se sent moins seul. Il va s'occuper des enfants pendant que les adultes bavardent. Il sera au moins utile à quelqu'un !

Après le dessert, les Straus se lèvent et prennent congé. Michel voudrait faire de même, mais Bedford le prend par le bras et l'entraîne au fumoir.

« Vous fumerez bien l'un de ces excellents havanes ! Je crois que M. Stead souhaite faire une petite promenade avec vos enfants. Il existe non loin d'ici une salle de jeux et un guignol qui leur plairont beaucoup. »

Et tandis que Stead et les petits s'en vont, devisant comme les plus vieux amis du monde, Michel suit Bedford qui se dirige vers un petit groupe de fumeurs au milieu desquels l'on distingue une forme féminine : Mme Lucile, alias Lady Duff Gordon, est occupée à fumer un long cigarillo et converse avec l'ingénieur Andrews.

« J'ai entendu dire, monsieur Andrews, que vous aviez des inquiétudes au sujet du salon des dames. Vous n'avez aucune raison de vous faire des reproches, il est parfait. Mais que voulez-vous, la société des dames entre elles est tellement ennuyeuse ! Croyez-moi, supprimez-le, transformez-le en nursery où les jeunes femmes pourront laisser leurs enfants sous bonne garde. Il sera très apprécié ! »

Au même moment, le commandant Smith entre en compagnie des industriels parmi les plus riches et les plus célèbres des États-Unis : Benjamin Guggenheim, le colonel Archibald Gracie, le major Archibald Butt, Francis Millet et Henry Burkhardt Harris. Aussitôt, plantant là son interlocuteur, Lady Duff Gordon va à la rencontre du capitaine.

« Ah, commandant, je suis heureuse de vous voir. Nous projetions une petite présentation de mode dans le grand salon, demain après-midi. Nous donnerez-vous votre accord et nous ferez-vous l'honneur de votre présence ainsi que vous, messieurs ? »

Mme Lucile est accoutumée à défrayer la chronique. Elle a, la première, ouvert à Londres un salon de mode où défilaient des mannequins vivants, ce qui a profondément choqué la haute société londonienne qui voit d'un mauvais œil les frivolités parisiennes conquérir leur place sur le marché anglais. Mais Mme Lucile a l'habitude de mettre les gens devant le fait accompli. Ainsi, le capitaine Smith doit s'incliner, et le défilé est décidé. Pour ne pas être reconnu de sa terrible collègue, Navratil, fort gêné, se dissimule derrière Bedford qui le dépasse en taille et en poids.

Pendant ce temps, Stead et les deux enfants admirent les fastes du théâtre de marionnettes. On donne cet après-midi-là la légende de Geneviève de Brabant. Le spectacle est superbe, mêlant différentes techniques comme la projection de vues dans une lanterne magique, l'utilisation d'ombres chinoises, et celle de marionnettes à fil qui donnent l'illusion parfaite de la réalité.

Il règne, durant tout le spectacle, une atmosphère de féerie qui transporte les deux enfants d'enthousiasme. Même si parfois le ciel s'assombrit de nuées d'orage, si des ombres sinistres se profilent autour de la pauvre Geneviève de Brabant, les visions lumineuses du château gothique et de la forêt sous le soleil de midi effacent l'inquiétude des tableaux nocturnes et menaçants. Lorsque le rideau se ferme, Momon se lève d'un bond, mais Lolo reste assis, les yeux rêveurs.

« Allons, Lolo, c'est fini, il faut sortir ! »

À regret, l'enfant se lève et prend la main de son nouvel ami. Stead respecte son silence et reconduit les enfants à Michel, qui converse avec Bedford.

« Évidemment, je ne tenais pas à ce que Mme Lucile me reconnaisse. Mais rassurez-vous,

Charles, je n'ai pas l'intention de me cacher toute ma vie derrière un pseudonyme. À New York, je vivrai sous ma véritable identité. N'ayez crainte, ajoute-t-il en riant, mes papiers personnels et ceux des enfants sont en règle! »

À ce moment-là, Stead apparaît avec Lolo et Momon qui restent silencieux et rêveurs, encore sous l'emprise du magnifique spectacle auquel ils viennent d'assister. Dès qu'ils aperçoivent Michel, les deux enfants se jettent dans ses bras, l'embrassent et commencent à raconter ce qu'ils ont vu. Michel s'est remis de ses inquiétudes et c'est l'âme plus tranquille qu'il prend congé de Bedford et de Stead. Les trois Navratil s'éloignent, main dans la main. Les petites voix radieuses des enfants résonnent encore après qu'ils ont disparu.

« Quel gâchis vient de faire ce pauvre garçon! Pourquoi se compliquer ainsi l'existence? commente Bedford.

— Quelle idée de choisir justement le *Titanic* pour voyager avec sa petite famille! » grommelle Stead entre ses dents.

Tous deux se regardent, haussent les épaules avec philosophie et se mettent à fumer.

8

Une monstrueuse imposture

Le lendemain matin, 13 avril, les petits Navratil sont debout à sept heures et prennent d'assaut le lit de leur père. Michel, qui a dormi pesamment jusqu'au matin, ne se fait pas prier pour se lever et, une heure plus tard, tous trois se trouvent sur la coursive du niveau E, un point stratégique du *Titanic*, puisqu'elle constitue le chemin le plus direct pour aller de la poupe à la proue. Les officiers la nomment Park Lane, et l'équipage Scotland Road. C'est une véritable rue, longue d'une centaine de mètres, où règne généralement une activité intense. Les groupes de chauffeurs, de mécaniciens, de graisseurs, de soutiers se croisent, les uns vont relever leurs collègues, les autres, n'étant pas de quart, se rendent aux salles communes réservées à l'équipage.

C'est le plus court chemin pour le hammam. Lorsque les Navratil y pénètrent, la vapeur qui l'emplit est si abondante que les enfants ne s'aperçoivent pas à deux mètres. Lolo s'immobilise tout d'abord, respire un grand coup, puis entraîne son frère dans une partie de cache-cache. Il a vaincu sa phobie et Michel, fier de lui, le félicite de son courage.

Pendant que les enfants jouent, Michel se fait masser le dos, sans penser à rien d'autre, goûtant le plaisir d'être bien dans son corps. Il contemple vaguement, en relevant la tête, la pièce abondamment décorée dans un style bâtard, qui évoque la reine Victoria et Rudolph Valentino, avec son inénarrable plafond rouge sombre enrichi de caissons dorés et sculptés. Un mauvais goût qui le fait sourire parce que, sur le *Titanic*, on se sent enclin à l'indulgence.

Après cet intermède, tous trois retrouvent la piscine où Lolo et Momon barbotent au bout de leur perche. Enfin, comme la veille, ils se dirigent vers la salle à manger de troisième classe pour prendre leur petit déjeuner.

Durant le trajet de retour par Scotland Road, Michel est de nouveau en proie à des sentiments contradictoires. Il se sait d'humeur cyclique. Il a l'habitude de vivre avec cette alternance d'optimisme et de pessimisme, de joie de vivre et de découragement dont il reste toujours le maître. Or, depuis son départ, il maîtrise mal ses nerfs, facilement à fleur de peau. Ses moments de bonheur sont trop souvent gâchés par le pressentiment lancinant que la jeune femme de chambre à laquelle il a confié sa lettre, à Londres, ne l'a pas postée. Comme il a hâte d'arriver à New York pour pouvoir agir !

Inversement, les enfants n'ont jamais été si heureux depuis leur départ de Nice. Pour Lolo, l'intérêt de la découverte est tel, sur ce fabuleux bateau, qu'il efface toute nostalgie. Momon, malgré son âge tendre, reçoit aussi des impressions fortes de ce voyage et les emmagasine au fond de lui. Il s'exprime de mieux en mieux et court maintenant presque aussi vite que Lolo qu'il s'efforce d'imiter en tout point. Il demande à se laver et à s'habiller seul, et Michel, amusé, le laisse partiellement faire. À la table du petit déjeuner de troisième classe, les Hoffmann retrouvent Mirella. Lolo s'approche d'elle et s'enquiert avec inquiétude :

« Tu ne viens plus nous voir, Mirella. Est-ce que tu es malade ? »

La jeune femme, touchée par sa sollicitude, rougit, prend les deux enfants sur ses genoux et les embrasse. Olaus vient à son secours. Il ne comprend pas le français, mais la mimique des garçons est éloquente. Mirella leur manquait !

« Mirella, dit-il en anglais, ce soir, nous pourrions les emmener au bal costumé ! Demande-leur ce qu'ils en pensent. »

Lolo, consulté, exulte.

« Un bal costumé ? Comme à Nice pour la fête des fleurs, ou pour le carnaval ? Oh oui ! Tu veux bien me faire un costume d'empereur romain, Mirella? C'est très facile, il suffit d'un drap! »

Michel bavarde un peu avec ses compagnons de la veille, Martin Callagher, étudiant, comme Trevor, et Carl Johnson, qui veut fonder une étude de notaire dans une petite ville d'Amérique. Il remarque non loin d'eux un beau garçon, Daniel Buckley, qui fait beaucoup d'esbroufe et obtient un grand succès auprès des jeunes filles.

Pendant ce temps, Lolo, cédant à son goût de l'exploration, s'est aventuré dans le couloir menant aux cuisines. Il n'ignore pas, ce faisant, qu'il désobéit à son père et il n'a pas la conscience tranquille. Mais la curiosité est la plus forte. Il admire furtivement les fourneaux de fonte où s'activent chefs et marmitons aux toques imposantes. Puis il aperçoit, dans une grande pièce, un feu de bois qui flambe dans un four où l'on introduit sur de grandes pelles plates des pains de toute forme : baguettes, miches, épis, fougasses, sans compter les brioches minuscules qui bientôt lèveront et doreront sous l'action de la chaleur. Attiré par le fumet du pain chaud, Lolo s'avance.

« Bonjour, monsieur! »

Joughin remarque tout de suite que l'enfant a un léger accent du Midi.

« Té, un petiot! Qu'est-ce que tu fais là, tout seul? Peuchère, tu es perdu! »

Lolo l'écoute avec stupéfaction. Un Français, et de son pays encore! Il n'a pas plutôt ouvert la bouche que Charles Joughin, le boulanger marseillais, l'enlève dans ses bras et le poste devant des étagères blanches de farine où s'étalent les brioches fraîchement sorties du four.

« Regarde si c'est pas beau, tout ça. Veï, tu peux prendre ce que tu veux, ça ne manquera à personne. Tiens, remplis ce sac! Un petit concitoyen, ça mérite un traitement *espécial*! »

Une minute plus tard, Lolo, les bras chargés, reprend le chemin de la salle à manger. Il croise l'ingénieur Andrews qui ne semble pas s'étonner de le trouver là, comme s'il faisait partie intégrante du décor. Il pénètre discrètement dans la grande salle, à présent aux trois quarts vide, dans l'espoir que son absence soit passée inaperçue. Michel cause toujours avec Otto Schmidt mais il regarde fréquemment autour de lui d'un air préoccupé. Il se lève dès qu'il l'aperçoit et vient à sa rencontre.

« Où étais-tu, Lolo? J'étais inquiet. Je t'ai interdit de partir tout seul à l'aventure! Tu es trop petit, c'est dangereux. Rappelle-toi ta fugue au jardin des Palmes, elle aurait pu mal se terminer. »

Lolo, muet, baisse la tête. Bientôt de grosses larmes mouillent le cornet contenant les brioches chaudes. Michel ne peut supporter qu'un de ses enfants soit malheureux. Il fait diversion.

« Que caches-tu dans ton sac, petit magicien? »

Lolo regarde son père, et son visage s'éclaire. Papa sourit en appelant Momon.

« Regarde Momon ce qu'apporte Lolo! »

De retour à la cabine, Lolo raconte son voyage aux cuisines et parle du drôle de boulanger si jovial.

Il est interrompu par le chef steward de deuxième classe, John Hardy, qui frappe à la porte.

« Excusez-moi de vous déranger, monsieur. L'un de vos voisins de cabine a oublié un porte-documents dans sa voiture qui se trouve dans l'un des garages, au pont F, et il m'a confié ses clefs, et j'ai pensé que cela intéresserait vos petits garçons de m'accompagner. Il y a en bas des Daimler, des Bugatti, des Ford, des Rolls-Royce, comme on a rarement l'occasion d'en voir ! »

Michel est touché de cette attention de la part du steward qui trouve le temps de s'occuper personnellement des passagers, bien qu'il ait la responsabilité de l'ensemble de la seconde classe. Il le remercie et lui confie bien volontiers les enfants. C'est pour eux un nouvel émerveillement, en particulier pour Momon qui s'intéresse tout particulièrement aux voitures. Les Astor, les Guggenheim, les Hays et la plupart des multimillionnaires américains qui voyagent à bord du *Titanic* ne se déplacent qu'en compagnie de leurs domestiques, de leur chauffeur et de leurs automobiles. Celles-ci sont entreposées dans de vastes locaux, situés à l'arrière de la salle des turbines, sur plusieurs niveaux, et l'on peut y découvrir les modèles les plus récents, les plus luxueux et les plus rapides de toute l'industrie automobile.

L'intérieur de ces voitures est aménagé avec le plus grand confort : fauteuils de cuir, coussins, cendriers, petits bars portatifs, miroirs, etc. Quant aux carrosseries, noires, blanches, bleues ou

rouges, elles étincellent comme au premier jour car leur chauffeur les entretient soigneusement. La petite Panhard du voyageur de seconde classe semble miséreuse à côté de ces prestigieuses voisines. « Pourtant, songe Lolo, je crois qu'elle me plairait plus que les autres, qui sont trop grosses. »

La journée passe fort vite pour Lolo, Momon et Michel. L'après-midi, ils se rendent sur le pont en compagnie de Beesley, Pritchard, Mirella et Olaus, où sont organisés des jeux qui constituent bien souvent, sur les grands transatlantiques, l'essentiel des journées en mer.

On a formé quatre équipes de volontaires. Il y a d'abord une course en sac. Lolo croit rêver lorsqu'il voit son père en étroite compétition avec Lawrence Beesley. Tous deux, emmaillotés dans un sac en jute, sautillent de conserve avec la plus grande énergie pour arriver les premiers en bout de piste. Puis vient un concours de palet, un tournoi de badminton et un combat d'oreillers. Lolo et Momon n'ont jamais vu de grandes personnes folâtrer comme des enfants et, après un moment de perplexité, ils rient aux larmes avec les autres enfants qui assistent également aux jeux de leurs parents. Parmi eux, un mignon bébé français de seize mois, Louise Laroche, qui, le visage barbouillé de chocolat, lui fait des grâces. Lolo lui renvoie son sourire[1].

À neuf heures du soir, après le dîner, le chef steward, John Hardy, qui passe dans le couloir, voit la

---

1. Lolo ne reverra Louise Laroche que quatre-vingt-six années plus tard, alors qu'il ne restera plus que sept survivants du *Titanic*.

porte D 26 s'entrouvrir silencieusement et trois silhouettes en sortir sur la pointe des pieds, en grand mystère : une colombine, un empereur romain miniature couronné de laurier et un minuscule pierrot à l'immense collerette. Trois personnages sortis tout droit de *Little Nemo*! La fête est très réussie. Un coin de la salle a été aménagé pour les vingt-quatre enfants de deuxième classe qui ont à leur disposition un buffet spécialement conçu pour eux et une piste de danse.

Au bal costumé, Lolo s'est fait une amie : Loraine Allison, une jolie petite fille de cinq ans avec un drôle d'accent français. Elle habite Montréal, au Canada, le pays des caribous et de la neige, se dit Lolo. Après s'être raconté toutes sortes de choses mystérieuses, ils font ensemble de nombreux tours de valse. Lolo, entendant parler français avec l'accent niçois entre deux danses, s'avance vers l'un des musiciens nommé Roger Bricoux ; il vient effectivement de Monte Carlo. L'orchestre se composant de huit musiciens, le service est très absorbant car il n'y a pas moyen de se faire remplacer. Néanmoins Roger est fier d'avoir été sélectionné parmi la centaine de postulants dont la plupart étaient des musiciens chevronnés.

Michel, sachant les enfants en sûreté avec Mirella, est monté à la bibliothèque, espérant trouver un peu de calme et surtout échapper à la présentation de mode de Mme Lucile qui lui porte sur les nerfs. Dire qu'elle est censée voyager incognito, sous le nom de Morgan ! À quoi bon cette comédie si c'est pour se comporter comme une personne publique! Il se plonge dans le nouvel *Atlantic Daily* et découvre que le lendemain aura lieu une éclipse de soleil, visible dans sa totalité à Saint-Germain-en-Laye, et partiellement à Nice. Soudain, une voix familière lui fait lever la tête.

« Ah! Vous aussi, vous venez vous mettre à l'abri! Cette femme est redoutable! Elle a réussi à entraîner notre ami Bedford qui, vous le savez aussi bien que moi, déteste ce genre de manifestation. Figurez-vous qu'en l'absence de ses mannequins professionnels, elle a convaincu toutes ces dames de première classe de les remplacer. Et les voilà toutes qui rivalisent d'ardeur pour s'afficher en modèle d'un jour, à l'exception de Madeline Astor qui s'est vu interdire par John la participation au défilé. Et naturellement notre chère Ida Straus, qui est restée dans sa cabine avec son époux. Mais savez-vous que les dames d'un certain âge n'ont pas reculé non plus devant une telle exhibition? C'est peut-être sympathique, mais c'est parfaitement ridicule. Je me suis sauvé au bout de dix minutes! »

Stead s'assied près de Michel, prend un journal et commence sa lecture. Deux heures plus tard, les deux hommes sont attablés au Café Parisien, alors presque vide, devant deux grands whiskys, et Stead soulage son cœur auprès de Michel.

« Voyez-vous, je suis extrêmement inquiet sur le sort du *Titanic*.

— Mais enfin, monsieur, vous plaisantez! s'écrie Michel, abasourdi.

122

— Hélas non, je ne plaisante pas ! Voyez-vous, mon jeune ami, nos capitaines au long cours ont pris la fâcheuse habitude, depuis que leurs bateaux ont atteint des dimensions gigantesques, de négliger la sécurité des passagers au profit de la rapidité. L'enjeu est ce petit bout de ruban bleu que les compagnies rivales s'arrachent avec passion. La Cunard le détient depuis plusieurs années, la White Star Line a décidé de le lui ravir. Si le *Titanic* ne réussit pas, Joseph Bruce Ismay tient en réserve un nouveau paquebot dont Andrews a déjà dessiné les plans, le *Gigantic*, qui dépassera les trois cents mètres de longueur et atteindra la vitesse de vingt-quatre à vingt-cinq nœuds. La compagnie a les reins solides, elle n'est pas à un naufrage près !

— Permettez-moi, monsieur, de n'être point de votre avis. Si le *Titanic* doit couler, elle ne s'en remettra pas ! Sa réputation sera définitivement compromise.

— Vous avez peut-être raison, admet Stead. En tout cas, voici quel danger nous menace. Il existe un terme particulier, l'*angle*, qui désigne un point de l'Atlantique Nord où les navires à destination de New York corrigent leur cap en obliquant vers l'ouest, afin d'éviter les glaces flottantes. Lors d'une conférence qui s'est tenue voilà déjà quatorze ans et à laquelle assistait Ismay, les représentants des plus grandes compagnies transatlantiques se sont mis d'accord pour repousser plus à l'est le fameux angle. Au lieu d'aller plein ouest et d'obliquer au dernier moment vers le sud, à proximité des bancs de Terre-Neuve, les navires doivent mettre le cap au sud beaucoup plus tôt et rallonger ainsi leur route par rapport à New York. Inutile de vous dire que la plupart des commandants de navire ne tiennent pas compte de cette convention. Vous verrez que le *Titanic* fera de même, probablement avec la bénédiction de la White Star Line qui préfère assurer sa suprématie sur les autres compagnies plutôt que la sécurité de ses clients… Naturellement! poursuit Stead. Et je ne vous ai pas tout dit! Savez-vous combien de vigies sont de quart la nuit? Deux, perchées sur le nid de pie à cinquante mètres au-dessus du niveau de l'eau. Et ces malheureux matelots n'ont pas même une paire de jumelles! Elles ont disparu entre Belfast et Cherbourg. À croire qu'un agent de la Cunard ou de la Norddeutscher Lloyd s'est infiltré à bord du *Titanic* à des fins non pacifiques et les a discrètement subtilisées. Comment voulez-vous qu'ils puissent distinguer un iceberg à distance, même par temps clair?

— Mais j'ai entendu dire qu'ils brillent dans la nuit et qu'on les voit de loin!

— Tout dépend de l'âge de l'iceberg, ou, plus exactement de la durée de son séjour à l'air libre. S'il vient juste de se retourner, la glace est encore translucide et étincelante, elle est presque invisible dans la nuit. On ne la voit qu'au dernier moment, quand il est trop tard. S'il flotte depuis longtemps, il devient blanc, sa surface est repérable de loin. Un autre moyen de le détecter, c'est la frange d'écume qui entoure sa base. Mais lorsque la mer est d'huile, elle disparaît, et c'est le cas en ce moment. Si le beau temps persiste demain, nous aurons les plus mauvaises conditions pour traverser la zone dangereuse.

— Ainsi, il serait plus prudent de rédiger son testament avant demain soir! » s'écrie Michel en riant.

Toutefois, le visage soucieux de Stead commence à l'impressionner.

« Sans aucun doute! Le *Titanic* n'est équipé que de seize barques et de quatre canots Engelhardt. De quoi sauver environ mille personnes sur les deux mille deux cent vingt-deux passagers du *Titanic*! La loi est ainsi faite qu'un transatlantique de la taille du *Titanic* n'est pas tenu d'avoir à son bord des embarcations de sauvetage en nombre suffisant. J'ai pourtant entendu l'ingénieur Andrews raconter que chacun des seize bossoirs peut accueillir deux chaloupes, ce qui suffirait à embarquer tout le monde en cas de naufrage, mais la White Star Line a jugé bon de n'en mettre qu'une. Sans doute et toujours au nom de cette monstrueuse imposture affirmant que le *Titanic* est insubmersible!

— Ainsi, en 1912, personne n'est à l'abri d'un naufrage… »

Navratil reste quelques instants silencieux. Stead, paisiblement, tire de grandes bouffées de sa pipe dont le tabac de Virginie embaume. Michel s'étonne de le voir envisager aussi paisiblement une catastrophe imminente. Mais s'il dit vrai, il faut se préparer à une telle éventualité, prévoir comment se sauver, lui-même et les enfants. Les images défilent en quelques secondes dans l'esprit de Michel : la foule se battant pour accéder au nombre insuffisant de canots, la panique qui en résulte. Non, pourquoi penser à cela, les risques de faire naufrage sont infimes, on ne met pas en jeu la vie de deux mille deux cent vingt-deux personnes pour un bout de ruban bleu !

« L'obscurantisme, reprend Stead, est la chose au monde la mieux partagée, et nos multimillionnaires du *Titanic* croient aussi aveuglément en son insubmersibilité que le plus ignorant des immigrants de troisième classe. Pour des raisons différentes, il est vrai. Les premiers mettent toute leur confiance dans le pouvoir de la technique et de l'industrie dont ils sont les grands manitous, les seconds ne demandent qu'à croire aux miracles. Le *Titanic* en est un. Pour tous, sauf pour nous, mon cher Hoffmann ! »

Si Stead insiste aussi lourdement auprès de Michel en dépit du trouble qu'il suscite en lui, c'est pour lui éviter d'être pris de court en cas de naufrage car il a charge d'âmes. Mais c'est plus que Michel peut en supporter pour ce soir. Il se lève et prend cordialement congé du vieil homme qu'il tient en haute estime malgré son caractère bourru et sa propension à tout dramatiser.

Une demi-heure plus tard, allongé sur son lit, il contemple ses enfants endormis auprès de lui. Les a-t-il réellement exposés à un danger à bord du *Titanic* ? Stead a des arguments si convaincants que

Michel s'est senti un moment ébranlé. C'est pourquoi il a pris la fuite. Néanmoins, dans la solitude de sa chambre, il écarte le fantôme du péril. Stead a certainement noirci le tableau. Comment peut-il affirmer qu'on ne peut faire confiance au capitaine Smith? Un homme de près de soixante ans, avec plusieurs dizaines d'années d'expérience de navigation derrière lui! Le *Titanic* est son dernier poste. L'année suivante, il prendra sa retraite. Pourquoi compromettrait-il sa réputation par une imprudence aux si tragiques conséquences?

Néanmoins, Michel sent la vieille angoisse patiemment repoussée au fond de sa conscience se frayer un passage par la brèche que vient d'ouvrir Stead. Il consulte sa montre. Encore une manière de penser à Marcelle! Vingt et une heures. Jamais il ne trouvera le sommeil. Les doutes, les remords ne lui laisseront plus de paix jusqu'à l'aube. Il se lève, se rhabille et descend au salon de troisième classe où, comme chaque soir, l'on danse et l'on s'amuse. Les émigrants de toute l'Europe semblent fraterniser. On distingue, pêle-mêle sur les tables, du tokay de Hongrie, du vin de Moselle, de la slivovitz de Yougoslavie, du chianti, ou de l'aquavit de Scandinavie. Un Français joue sur son accordéon une valse musette. Michel somnole sous l'effet de l'alcool, affalé sur un fauteuil. Dans son demi-sommeil, il perçoit vaguement un violon tzigane qui gémit près de lui. Vers deux heures du matin, il est réveillé par un jeune Russe qui chante d'un ton sentimental un air bien de chez lui en s'accompagnant sur sa balalaïka. Michel sent ses yeux se mouiller, toute son enfance en Slovaquie lui revient à l'esprit, ce monde perdu, sa famille dispersée pour toujours par l'émigration. Il avale un verre de vodka après l'autre. Puis c'est le noir, il ne reconnaît plus personne.

Pour la première et la dernière fois de sa vie, il a bu pour oublier. On doit le reconduire dans sa chambre où il s'effondre sur son lit tout habillé.

9

Au milieu des glaces

Cette nuit-là, Lolo fait un rêve étrange. Il se voit voguant seul dans l'obscurité sur l'un des petits bateaux de papier, qu'il fabriquait souvent avec sa mère, sur une mer immobile dont l'eau semble presque rigide. Comme son bateau n'avance plus, il tâte la surface de la mer et, la sentant solide, descend et commence à marcher sur l'eau qui lui semble très froide. Soudain, une grande montagne transparente lui barre la route. La nuit s'éclaircit et la lune se lève, tandis que la montagne brille comme un diamant. Il s'absorbe dans sa contemplation du magnifique paysage quand des cris de détresse lui parviennent. Derrière lui, le bateau a disparu. Il sent de grandes mains s'accrocher à ses chevilles comme pour l'entraîner vers le fond.

Il s'éveille aussitôt en proie à une angoisse insupportable. Il court vers son père qui dort pesamment sur le ventre, tout habillé, le secoue en pleurant. Il ne réussit qu'à éveiller Momon qui éclate aussitôt en sanglots. Mais tout ce chahut ne parvient pas à tirer Michel de sa torpeur. On est le 14 avril 1912, il est huit heures du matin.

Au bout de quelques minutes, les enfants, serrés l'un contre l'autre, se calment et se sourient. Puisque leur père ne bouge pas, ils s'habilleront seuls. Lorsqu'ils sont plus ou moins prêts, laissant derrière eux la porte ouverte, ils se dirigent vers la salle à manger de seconde classe où Trevor et Lawrence Beesley, le jeune professeur monté à Queenstown, prennent leur petit déjeuner. Aux questions que les jeunes gens lui posent, Lolo répond que leur père dort.

Lorsqu'ils regagnent la cabine, Michel, éveillé par le steward qui, voyant la porte ouverte et les enfants disparus, s'est inquiété, est en train de s'asperger la tête d'eau froide. Sa migraine s'est partiellement dissipée grâce à l'énergie du traitement et ses idées noires ont disparu. Il se sent plein d'énergie, félicite Lolo de son initiative au lieu de le gronder et rectifie légèrement la tenue des deux petits garçons.

Une demi-heure plus tard, ils arpentent le pont supérieur. Michel ne se ressent presque plus de sa beuverie nocturne. Il fait un temps superbe.

L'océan miroite à perte de vue, avec des reflets de ciel limpide. Sa surface sans ride évoque la douceur d'un épiderme d'enfant. Pas une vague, pas la moindre petite trace d'écume à l'horizon. Les fauteuils transatlantiques sont occupés par une foule avide de soleil et de bon air, mais le pont est étrangement silencieux. On dirait que tous, bêtes et gens, eau et vent, observent la trêve dominicale.

Michel compte prolonger la promenade jusqu'à l'heure du service divin qui doit être présidé à onze heures par le capitaine Smith dans la salle à manger de première classe. En effet, il espère pouvoir assister avec ses fils à la manœuvre de sauvetage qui doit avoir lieu à dix heures, si on en croit le règlement de la White Star Line. Mais l'heure tourne et rien ne se passe. Peut-être attend-on que les passagers soient réunis pour le culte. Ainsi, ils n'entraveront pas l'exercice.

Au même moment, dans la salle des cartes, le capitaine Smith, le P.-D.G. de la White Star Line, Ismay, les officiers Wilde, Murdoch, Lightoller et l'ingénieur Andrews tiennent conseil. L'heure est grave. Tous contemplent sur la carte la région de l'Atlantique Nord, au sud de Terre-Neuve, qu'on va traverser le soir même. Il est principalement question de l'*angle*, c'est-à-dire du point où le paquebot va corriger son cap vers l'ouest afin d'éviter les glaces. Le destin du *Titanic* repose entre les mains des trois principaux intéressés : Smith, qui joue ici toute sa carrière, Ismay qui joue le sort de la compagnie, et Andrews, sa réputation et son meilleur vaisseau.

« Capitaine, dit Andrews en traçant sur la carte un angle qu'Ismay trouve exagéré, il sera plus prudent d'obliquer dès sept heures, ce soir, vers le sud. Nous serons encore au-dessus du quarantième parallèle. Vous savez que la coque du *Titanic* n'est pas conçue pour résister aux glaces ! »

Mais le président-directeur général estime qu'il faut continuer tout droit vers l'ouest et ne changer de cap que le lendemain. Le capitaine Smith et les deux officiers, Murdoch et Lightoller, semblent partager son point de vue.

Soudain, la porte s'ouvre et Bride entre, tout essoufflé, un télégramme à la main. Le capitaine le prend et le met distraitement dans sa poche, sans l'ouvrir. Il provient du *Caronia* et annonce la présence de glaces bien au sud de l'angle habituel.

« Je suggère, reprend Ismay, que nous continuions notre route jusqu'au quarante et unième degré nord, quarante-neuvième degré ouest environ. Votre bateau résistera bien à quelques petits glaçons, monsieur Andrews ! Nous filons vingt-deux nœuds depuis ce matin, et nous avons parcouru hier plus de cinq cents milles. À cette allure, nous en couvrirons facilement six cents aujourd'hui ! »

Andrews proteste, mais personne ne l'écoute. Il n'a pas le pouvoir de décider seul, contre l'avis des autres. Il va se taire et espérer que tout ira bien.

Dix heures cinquante-cinq, le capitaine va être en retard à la messe. Il part précipitamment, oubliant d'ordonner l'exercice de sauvetage. Les Navratil auront attendu en vain.

Vers trois heures de l'après-midi, quand le déjeuner est terminé – un déjeuner de fête, avec trois services supplémentaires –, Mirella et Olaus proposent un bridge au salon, mais Trevor refuse. Il lui tarde de faire un tour à la cabine radio et Lolo, prié de l'accompagner, accepte avec enthousiasme. Ils trouvent les jeunes gens en pleine effervescence. L'émetteur fonctionne mal. Phillips pense que les condensateurs ont sauté. Il a entrepris de démonter l'appareil tandis que la pile de messages privés, sur la table, ne cesse de grossir. Beau travail en perspective! De quoi occuper sa nuit! Bride le seconde de son mieux et reçoit les messages de l'extérieur. Trevor, qui a des connaissances en mécanique, s'absorbe avec Phillips dans le démontage de l'émetteur, laissant Lolo auprès de Bride. La veille, un premier message est parvenu du *Rappahannock*, signalant, sur la route du *Titanic*, une forte banquise qui l'a endommagé quand il a cherché à la traverser. Depuis le message du *Caronia*, transmis par Bride à la passerelle, quatre messages, signalant la présence de fortes glaces en dessous du quarante-deuxième parallèle, ont été réceptionnés en provenance du *Noordam* à onze heures quarante, du *Baltic* à treize heures quarante-deux et de l'*Amerika* à treize heures quarante-cinq. Bride les a apportés au capitaine Smith qui les a fourrés dans sa poche comme le précédent, sans les ouvrir. Les deux opérateurs radio ne s'inquiètent pas de la teneur des messages, ils les transmettent, un point c'est tout.

Voyant que personne n'est venu chercher Lolo,

Trevor le raccompagne à sa cabine et le laisse en compagnie de Michel et Momon qui font la sieste, avant de regagner la cabine radio.

À dix-neuf heures trente, Michel est réveillé par les cris des enfants qui se disputent. Dans la cabine règne un froid inhabituel. Michel ouvre le hublot et un courant d'air glacé envahit la pièce. Remarquant de petits glaçons suspendus en stalactites dans l'embrasure du hublot, il le referme bien vite et extrait de la malle les manteaux de fourrure qu'il a fait fabriquer spécialement à l'intention de ce voyage. Lolo et Momon n'en croient pas leurs yeux car jusqu'à présent, la fourrure leur semblait exclusivement réservée aux grandes personnes. Chacun admire à loisir sa nouvelle silhouette fourrée dans le miroir avant de se rendre sur le pont des embarcations. Pendant le sommeil des Navratil qui a duré deux heures, la température est tombée de neuf degrés, il fait maintenant zéro degré et la mer est arrivée à son degré de congélation avec une eau à moins deux.

« Pourquoi fait-il si froid, papa? Il faisait si bon cet après-midi, le soleil ressemblait à celui qui brille dans notre jardin! »

Michel et ses deux fils vont et viennent sur le pont. Le soleil est bas sur l'horizon et l'océan, lisse et plat, semble un creuset d'argent fondu. Le vaste ciel, d'une insolite pureté, a la transparence bleu vif d'une grotte de glace.

Cependant, le *Titanic* file à une vitesse encore jamais atteinte depuis le début du voyage, et les eaux profondes, un instant découpées, s'unissent derrière la poupe en un sillage linéaire et doux. Les Navratil, Momon compris, sont fascinés par cet univers étrange. Ils s'appuient au bastingage, fixant, au-delà de la lointaine proue, les lignes d'horizon qui fuient devant eux. On dirait un voyage à travers le temps et non à travers l'espace. Le silence environnant a quelque chose d'impalpable et de matériel à la fois.

Paisiblement, malgré la sourde inquiétude qui le ronge, Michel explique qu'on approche d'une région froide. L'on est à la hauteur de la Provence, c'est-à-dire de Nice, la ville de Momon et Lolo, et pourtant on va bientôt être environné d'icebergs.

« Il y a sous la mer une sorte de rivière d'eau froide, le courant du Labrador, qui transporte avec elle d'immenses plaques de glace venant de la banquise au nord. Et également des morceaux de glacier tombés des fjords du Groenland dont les séracs[1] dominent la mer de plusieurs centaines de mètres. Ce sont de véritables montagnes flottantes que l'on nomme icebergs et qui peuvent atteindre cent mètres de hauteur. Et la partie qu'on ne voit pas, en dessous de la mer, est encore huit ou neuf fois plus grande ! Il arrive qu'un iceberg se retourne, et alors il vaut mieux ne pas se trouver trop près de lui !

Lolo aime écouter les explications de son père, même lorsqu'il ne les comprend pas très bien comme ce soir-là. Les fjords, la banquise, les séracs, autant de mots mystérieux, dont la sonorité étrange le berce. Il imagine un fantastique paysage où le ciel

---

1. Les séracs sont d'immenses blocs de glace qui se forment aux ruptures de pente des glaciers. Au redoux, ils se brisent facilement et tombent.

lui-même aurait gelé, et il voit s'approcher, souple et chaud, le bon renne aux yeux doux tirant le traîneau du Père Noël plein de jouets et, trônant comme une princesse au milieu des fourrures, la petite Loraine.

Michel a une pensée pour les Straus, si frileux. Il ne peut se débarrasser des sinistres pronostics de Stead qui lui semblent, ce soir, beaucoup moins fantaisistes que la veille. Pourtant, il n'y croit pas, il ne veut pas y croire, peut-être justement parce qu'on approche des glaces et que le danger se matérialise. Michel ne peut s'imaginer en train de préparer ses enfants à l'éventualité d'un naufrage, ce serait absurde et malsain. Mieux vaut faire comme tout le monde et croire en l'insubmersibilité du *Titanic*.

Cependant, le froid mord avec plus d'insistance. Michel propose un petit tour au gymnase, histoire de se réchauffer. Lolo et Momon se précipitent sur les vélos, puis Lolo fait à son frère une démonstration d'avirons. MacCawley, le professeur de gymnastique, voyant l'air décidé de ce petit garçon, lui montre sous le regard attentif de Michel, qui en prend bonne note, comment ramer en poussant à fond les avirons sans trop les enfoncer dans l'eau.

Au moment où les Navratil sortent sur le pont, Trevor, l'air affairé, passe devant eux sans les voir. Il est dix-neuf heures cinquante-cinq et il revient de la cabine radio où Bride lui a montré les messages annonçant la présence des glaces sur la route qu'ils vont suivre. À ceux du *Caronia*, du *Noordam*, du *Baltic* et de l'*Amerika*, reçus durant la matinée, s'ajoutent deux messages coup sur coup du *Californian* qui vient de s'immobiliser, préférant attendre le jour afin d'éviter la banquise, ainsi que du *Caronia*. Tous indiquent un champ de glaces long de cent cinquante kilomètres barrant la route au *Titanic*!

À la passerelle de commandement où il apporte ces télégrammes, Bride entend le rapport du lampiste Samuel Hemming à l'officier de service, Pitman, annonçant que par mesure de sécurité, toutes les lumières du bateau ont été allumées. Murdoch, le premier officier, a ordonné à Hemming de veiller à ce que le pont supérieur avant soit entièrement plongé dans l'obscurité, pour faciliter le travail des vigies. Boxhall a relevé Pitman au moment où ce dernier finissait de calculer la position exacte du *Titanic*, que Bride a notée.

Il est entendu que pour cette avant-dernière soirée de voyage, les Navratil retrouveront Lord Bedford au restaurant français. Lolo se réjouit à l'idée de revoir l'ingénieur Andrews et d'apercevoir, peut-être, le commandant Smith. Tous trois arrivent en avance et attendent Charles, en faisant les cent pas sur le pont-promenade voisin. Lolo, le premier, aperçoit Bedford. Il est accompagné d'un ami français qu'il a également convié à dîner, Pierre Maréchal, le célèbre aviateur. Même si Michel ne savait pas qu'il était français, il le devinerait à son allure. Il a la moustache abondante, les cheveux noirs bien lustrés, avec la raie de côté, un nez assez long chaussé de petites lunettes rondes et il est de petite taille. Un aviateur! Décidément Lolo a de la chance! Déjà, les questions se pressent sur ses lèvres mais il sait contenir son impatience. Il n'attendra guère. Très rapidement, Pierre Maréchal se met à évoquer les temps héroïques de l'aviation, encore si proches.

« En fait, explique-t-il, il ne se passe pas un mois sans que ne disparaisse un aviateur de renom[1]. »

Lolo demande s'il n'y a pas moyen d'échapper à un accident en sautant de l'avion avec un parapluie. La suggestion amuse fort Pierre Maréchal.

« Qu'allez-vous faire de cet enfant? dit-il à Michel. Il me semble avoir une vocation d'ingénieur toute trouvée. Sais-tu, mon petit, qu'un certain François Reichelt, Autrichien, et tailleur de son métier, a inventé une sorte de parapluie qu'il appelle parachute, qui doit permettre de sauter d'un avion en plein vol et d'arriver au sol tout doucement? Malheureusement pour lui, son appareil n'est pas au point et lorsque, au mois de février dernier, il a voulu en faire lui-même la démonstration en sautant du haut de la tour Eiffel, il s'est tué car son parachute n'a pas fonctionné. Mais je crois l'idée excellente. »

Lolo boit les paroles de Pierre Maréchal qui poursuit son récit. Il raconte qu'une femme nommée Harriet Quimbey vient d'accomplir seule la traversée de la Manche ; moins de trois ans après l'exploit de Louis Blériot, voilà qu'une aviatrice réussit la même performance, ce qui laisse augurer pour les femmes du xxᵉ siècle des lendemains glorieux. Il

---

1. Pierre Védrines, qui venait d'atteindre la vitesse en vol, extraordinaire pour l'époque, de cent quarante-deux kilomètres à l'heure, s'écrasa au sol trois semaines après le naufrage du *Titanic* et son nom s'ajouta à celui des martyrs de la conquête de l'air.

est également question de l'aviateur Salmet, qui vient de faire la jonction Londres-Paris sans escale, et des hydroplanes dont on équipera bientôt les bateaux de la marine de guerre.

Les enfants, ce jour-là, bénéficient d'un menu spécial. M. Gatti, le patron du restaurant, leur propose une brouillade aux truffes, un petit médaillon de foie gras de canard, une salade d'endives aux noix, une cuisse de pintade sur purée de marrons, un fromage blanc bien mousseux, une tarte aux fraises et une bombe glacée. Dans les verres de cristal à pied, le steward leur verse régulièrement du « vin », un sirop de framboise parfumé et peu sucré, frais mais non glacé.

Lolo, qui ne perd pas un mot des paroles de Maréchal, échange de temps en temps un regard de connivence avec son père ou avec Charles Bedford. Momon s'est endormi entre le fromage et le dessert et on n'aperçoit de lui que sa petite tête couleur de châtaigne aux frisures de mouton. Mais Lolo a les yeux plus luisants que jamais, des yeux pleins de promesse qui se posent avec confiance sur Michel. Les globes de cristal déversent sur les tables ornées de fleurs fraîches un flot de lumière chaude. Partout résonne le cliquetis des couverts d'argent sur la porcelaine, le tintement des verres entrechoqués, les voix musicales des femmes. Il règne ce soir-là dans la salle à manger un air de bonheur, d'harmonie et de sérénité. L'impression de sécurité est telle que Michel cherche involontairement Stead des yeux. Mais il ne le voit pas.

Il est maintenant plus de vingt-deux heures, et

le dîner touche à sa fin. Il faut coucher Lolo et Momon. Au moment où Michel se lève pour prendre congé, le capitaine fait de même à la table des Widener et se dirige vers la salle des cartes pour y noter la position exacte du *Titanic*, relevée précédemment par le deuxième officier Pitman. En arrivant à la passerelle où Lightoller vient d'être relayé par Murdoch, le capitaine fait remarquer au premier officier que le thermomètre marque un demi-degré au-dessous de zéro. Il considère attentivement un message que Bride vient d'apporter[1], demande à Murdoch de réduire progressivement la vitesse du bateau et de l'éveiller en cas de brume puis, sans s'inquiéter plus que cela, descend s'étendre dans sa cabine.

Murdoch, à la passerelle, commence sa longue veille. Là-haut, sur le nid de pie, les deux vigies Frederick Fleet et Reginald Lee qui viennent de relever leurs collègues scrutent l'horizon qui brille faiblement. Les glaces flottantes se font de plus en plus nombreuses mais les vigies n'ont encore aperçu aucun iceberg. Le *Titanic* file à vingt-un nœuds et demi, battant ses propres records de vitesse.

Momon ne s'est pas réveillé pendant que Michel le transporte dans son lit, et Lolo, épuisé par sa journée, s'endort instantanément.

Michel, qui n'a pas sommeil, entreprend une promenade solitaire à travers le bateau, lui qui a la

---

1. On ne saura jamais si le capitaine Smith avait pris connaissance des messages précédents, après les avoir publiquement enfournés dans sa poche sans les lire.

chance de pouvoir circuler librement presque partout. Il descend tout d'abord au pont F, dans la salle à manger de troisième classe où règne toujours la même atmosphère de fête. Otto Schmidt est au piano et plaque des accords de la main gauche, tandis que la droite vole de bas en haut du clavier. Michel le considère un moment, l'air absent. Les uns après les autres, les jeunes gens avec lesquels il s'est entretenu la veille l'invitent à se joindre à eux. Olaus et Mirella sont là aussi et valsent à en perdre la tête. Navratil n'a pas envie de danser avec une inconnue. Il s'éloigne lentement. Les échos assourdis de la valse lui parviennent encore durant quelques secondes.

Il s'engage dans l'escalier, prend le couloir blanc qui passe devant sa cabine, entrouvre la porte, écoute la paisible respiration des enfants, poursuit sa route et monte en direction de la salle à manger de deuxième classe où il découvre une centaine de passagers réunis autour du R.P. Carter pour une soirée de prière. Un jeune homme accompagne au piano les cantiques entonnés par l'assemblée. Michel referme doucement la porte et prend le chemin de la bibliothèque qui est presque vide. Il croise Beesley qui descend se coucher après une soirée de lecture et s'entretient un moment avec lui. Lawrence emporte quelques livres qu'il a l'intention de lire dans sa cabine. Michel hésite. Va-t-il l'imiter? À vrai dire, il a plutôt envie de compagnie. Il prend donc la direction du fumoir de première classe où il espère trouver Bedford ou Stead.

10

Iceberg droit devant

Ce soir-là, la plupart des passagers, fatigués par l'air glacial venu du nord, se sont retirés dans leur cabine plus tôt que de coutume. En première classe, les salons sont déserts, à l'exception toutefois du fumoir où de petits groupes conversent ou bridgent avec animation.

Bedford est absorbé dans une discussion véhémente avec Harry Widener, Clarence Moore – un passionné de la chasse à courre – et le major Archibald Butt, un homme au cou épais, engoncé dans un col dur tout à fait militaire, les cheveux coupés en brosse disparaissant sous la casquette d'uniforme. Bedford fait un petit signe de tête à Michel lorsqu'il passe près de lui. Stead n'est pas là. Alors Michel doit bien s'avouer que la sourde appréhension qui ne l'a que rarement quitté durant tout le voyage a resurgi, plus franche, impossible à chasser.

On approche de la zone des glaces, le cap a visiblement été maintenu vers l'ouest au lieu de s'orienter vers le sud ce qui aurait permis d'éviter la banquise annoncée par les messages reçus dans la journée. Le titan insubmersible va donc se mesurer aux icebergs. Eh bien soit! Michel assistera à l'affrontement entre le géant de fer et les monstres de glace. Cela vaut mieux que de s'enfermer dans sa cabine et d'attendre l'issue indécise du combat en se cachant la tête sous l'oreiller. En cas d'accident, il sera l'un des premiers à mettre ses enfants hors de danger! Il gagne donc le pont supérieur. Il lui faut cinq bonnes minutes avant de s'accoutumer à l'obscurité, puis il se dirige vers l'avant du bateau, non loin du nid de pie où les deux vigies scrutent l'horizon. Il constate avec stupéfaction que le *Titanic* avance totalement dans le noir, aucun projecteur susceptible d'éclairer sa route, d'où l'ordre donné par le capitaine d'éteindre les lumières sur le pont supérieur afin que la vision des vigies ne soit pas dérangée par des sources de lumière parasites. De plus, le nid de pie est situé à une vingtaine de mètres de la proue, ce qui ne simplifie pas le travail des deux vigies privées de leurs jumelles. Il fait une nuit splendide, sans lune, éclairée par des myriades d'étoiles. Avec son manteau doublé de renard argenté – une autre version de celui qu'il a fait pour les Straus –, Michel ne souffre pas du froid intense qui règne maintenant (moins deux degrés environ). Appuyé au bastingage, il contemple les étoiles et rêve aux espaces infinis qu'un jour, peut-être, les hommes conquerront. Puis il observe avec curiosité le halo de lumière autour des lampes du pont, vers l'arrière, où dansent des milliers de petites aiguilles de glace, suspendues dans les airs.

Son regard se porte alors sur la mer qui lui semble étrangement immobile, comme si elle avait été pétrifiée. Soudain, il comprend. Ce qu'il voit, ce n'est plus de l'eau, c'est de la glace. Une fine pellicule commence à se constituer sur la surface, lui donnant cet aspect étonnamment figé. Çà et là, il distingue des masses plus importantes, légèrement grisâtres, qui flottent par petits paquets. Enfin, plus au loin, il aperçoit une haute forme sombre, probablement éloignée de plusieurs centaines de mètres, qui se profile sur l'horizon. Soudain, une voix bien connue réchauffe le cœur de Michel à ses côtés :

« Eh bien, nous y voilà ! N'ai-je pas raison ? Regardez comme nous fonçons à travers ces champs de glace ! Croyez-vous que Murdoch, le premier officier, qui est de quart, prendrait l'initiative de réduire la vitesse du bateau ? Certainement pas, il risquerait son poste ! Il a déjà été rétrogradé à cause de Wilde[1]

---

1. William Murdoch aurait dû commander le *Titanic* en second mais la White Star Line imposa Henry Wilde, ce qui fit rétrograder non seulement Murdoch, nommé premier lieutenant, mais Lightoller, qui aurait dû être premier lieutenant et se retrouva deuxième lieutenant.

– provisoirement, il est vrai – il ne tient pas à ce que cela devienne définitif. Quant à notre cher capitaine, il dort du sommeil du juste. »

En réalité, Stead se trompe. Murdoch a fait réduire la vitesse de vingt-deux à vingt nœuds et demi mais la différence n'est guère perceptible. Un long silence, puis Stead reprend :

« Vous constatez comme moi, mon cher Hoffmann, que nous n'avons pas la moindre chance de nous en sortir ! Si nous évitons un premier iceberg, et même un second ou un troisième, nous heurterons le quatrième. Que voulez-vous que fassent ces pauvres bougres de vigies, sans leurs jumelles ? Ils verront l'obstacle au dernier moment, quand il sera trop tard pour l'éviter ! À quand la catastrophe ? Voulez-vous parier ? Je nous donne moins d'une heure avant la collision ! »

Profondément absorbé par sa contemplation, Michel se tait. À vrai dire, il n'a pas écouté. Le spectacle insolite de cet énorme vaisseau poursuivant sa course éperdue dans l'obscurité glaciale, ce monstre invincible et altier, ce symbole du progrès, de la victoire de l'homme sur la nature, le fascine par son irréalité. Plus que jamais, il a le sentiment de voyager dans le temps, il se sent vieux de mille ans.

Au même moment (il est exactement 23 h 30), Mirella danse avec Olaus dans le salon des troisièmes classes. Soudain, elle sent quelque chose lui frôler la cheville et, baissant les yeux, aperçoit un énorme rat qui court à toutes pattes à travers la salle, dans le plus grand affolement. Elle pousse un cri perçant et se sent défaillir. Tandis qu'Olaus prend soin d'elle, Daniel Buckley, Martin Callagher et Carl Johnson courent à sa poursuite et la plupart des jeunes gens se joignent à cette chasse improvisée. En vain, car quelqu'un entre au moment où l'animal atteint la porte et le rat disparaît.

Mirella est revenue à elle mais elle est persuadée que cet incident annonce un malheur. Elle se blottit contre Olaus qui tente de la raisonner. Enfin, ils sortent tous deux et prennent la direction de la cabine d'Olaus. Pour l'atteindre, ils empruntent Scotland Road, alias Park Lane, car elle est située très à l'avant, tout près de la proue à quelques mètres de la ligne de flottaison. C'est là le quartier réservé aux hommes célibataires et, en principe, Mirella n'y a pas accès. Mais la coursive est déserte, et le jeune couple parvient sans rencontrer d'obstacles à la cabine E 10.

Dans la cabine radio, Phillips travaille dans une atmosphère survoltée aidé de Trevor tandis que Bride, épuisé par ses allées et venues de la cabine à la passerelle, dort profondément sur sa couchette. Il doit relever son compagnon à minuit au lieu de deux heures, car ce dernier est à bout de force. Il a terminé de réparer son émetteur à dix-neuf heures et a trouvé sur sa table plusieurs centaines de messages personnels à expédier à travers le monde, parmi lesquels de nombreux paris concernant la vitesse moyenne du bateau.

À vingt-deux heures trente, le *Rappahannock* signale pour la deuxième fois le passage de nombreux icebergs et la présence de champs de glace. Le message est transmis à la passerelle par Trevor. Durant une demi-heure, Phillips tente d'obtenir Cap Race pour transmettre un pari et, au moment même où il le joint enfin, Evans, le radio du *Californian*, l'interrompt pour le prévenir que son bateau est totalement immobilisé par les glaces à peu de distance du *Titanic*; mais Phillips, que la fatigue a rendu incapable de suivre deux opérations à la fois, le rabroue sans l'écouter :

« Silence, silence! Je suis en ligne avec Cap Race! »

Evans n'insiste pas, ferme la cabine de transmission et va se coucher. Le *Californian* n'est distant que de quinze milles, mais tout le monde, à bord du *Titanic*, ignore sa présence. Le message d'Evans ne parviendra jamais à la passerelle. En haut, sur le nid de pie, Frederick Fleet et Reginald Lee sont tendus, surveillant de leurs yeux fatigués l'immensité brune. À plusieurs reprises déjà, ils ont vu se profiler, loin à l'horizon, de grandes masses d'un noir grisâtre. Ils sentent le danger et s'inquiètent de constater que l'on n'a toujours pas changé de cap malgré la présence des icebergs.

Ce matin-là, lorsqu'ils sont entrés dans la salle des cartes, l'ingénieur Andrews n'avait-il pas parlé d'obliquer vers le sud aux environs de dix-neuf heures? Il est vingt-trois heures trente-cinq et rien ne s'est encore produit. On file plein ouest. La nuit claire et translucide les préoccupe particulièrement. Pas la moindre brume, mais pas le moindre souffle sur l'eau non plus. On dirait qu'on glisse sur un miroir.

C'est trop simple, trop facile. L'obstacle qui ne manquera pas de surgir les prendra-t-il au dépourvu?

Conscients de leur responsabilité, ils scrutent l'horizon, l'un vers bâbord, l'autre vers tribord. Soudain Fleet s'écrie :

« Lee, regarde ! »

Un coup d'œil sur la forme qui se profile obscurément, à cinq cents mètres devant eux, et Fleet se précipite sur le téléphone qui communique directement avec la passerelle.

« Iceberg, droit devant !

— Merci », répond flegmatiquement Murdoch.

Puis il appelle instantanément le timonier :

« Barre à tribord, toute ! »

Cet ordre donné, il court au transmetteur et ordonne de mettre les machines au point mort avant de passer en marche arrière, tandis qu'il actionne le levier de fermeture automatique des cloisons étanches.

Le barreur s'accroche au gouvernail, pesant de tout son poids, pour faire virer de bord le bateau. Mais le géant réagit lentement, en proportion de sa taille. Sa force d'inertie est trop grande, il lui faut une vingtaine de secondes pour obéir à la commande. Il commence seulement à virer vers bâbord à l'instant où se produit l'impact avec l'iceberg, trente-sept secondes après le cri de la vigie. L'immense bloc de glace, d'autant plus traître qu'il est inférieur de cinq ou six mètres à la ligne de flottaison du navire, griffe le flanc tribord du *Titanic*. L'acier, fragilisé par le froid, implose littéralement à six endroits sous la ligne de flottaison[1]. Les rivets éclatent et les brèches, pour être minces, n'en laissent pas moins passer l'eau.

Au même moment, Michel et Stead, accoudés côte à côte au parapet de bâbord, méditent silencieusement lorsqu'ils sont arrachés à leur rêverie par un mouvement insolite du navire : le *Titanic* vire de bord !

Machinalement, Stead plonge la main dans son gousset et en retire sa montre. Il est exactement vingt-trois heures quarante. Tous deux se regardent. Soudain, ils aperçoivent une masse sombre qui passe à six mètres environ au-dessous d'eux, au ras du pont B. Il leur semble que l'obstacle frôle le *Titanic*, mais ils ne ressentent pas le moindre choc. Michel éclate de rire.

« Et d'un ! Ce n'est pas encore pour cette fois, mais je dois m'incliner, vous aviez raison ! »

Stead lui fait signe de se taire et d'écouter. Trente secondes environ se sont écoulées et soudain le navire stoppe. Un silence pesant s'abat sur le pont, toute vibration cesse, comme si l'on était suspendu en plein ciel. L'impression d'étrangeté est si vive que Michel éprouve le besoin de poser sa main sur celle de son voisin, pour sentir sa présence. Soudain, un bruit de pas précipités les fait sursauter. Le capitaine Smith, Murdoch et Boxhall, l'un

---

1. L'inspection de la coque de l'épave par 3 870 mètres de fond a permis de mesurer la surface exacte des 6 brèches : 1 mètre carré. La commission d'enquête de 1912 avait conclu à une faille de 30 mètres de long, ce qui aurait noyé le *Titanic* en 10 minutes.

des officiers, se penchent par-dessus le bastingage.

« Oui, c'est bien un iceberg! s'exclame le capitaine. Boxhall, descendez voir aux machines si nous avons une voie d'eau! »

Le capitaine, qui a le sommeil léger lorsqu'il est à bord, a perçu un frémissement qui l'a aussitôt éveillé. Comme il dort tout habillé par simple précaution, il n'a eu qu'à enfiler sa veste et à bondir sur la passerelle toute proche. Il félicite Murdoch de sa présence d'esprit et attend sans inquiétude le rapport de Boxhall.

Du reste, presque personne, sur le navire, n'imagine que le *Titanic* a été touché. La grande majorité des gens n'a perçu qu'un ébranlement léger, comme un tissu que l'on déchire ou, plus bas, le grincement d'un couteau qu'on aiguise. La vaisselle a tinté dans la salle à manger de première classe où plusieurs stewards et garçons de restaurant sont réunis et se reposent, après leur travail. Charles Joughin, le boulanger français, pétrissait son pain quand une casserole posée en équilibre sur l'angle d'une étagère a roulé par terre. Lawrence Beesley, qui lisait, a remarqué que le léger frémissement qui agitait d'ordinaire les rideaux avait cessé. Inversement, Mirella et Olaus, dans leur petite cabine du niveau E à tribord, juste au-dessus du point de collision, ont été recouverts de débris de glace qui ont dégringolé par le hublot entrouvert et ont perçu un bruit grinçant de tôles déchirées.

Cependant, les officiers et le commandant ont regagné la passerelle, et tout semble rentré dans l'ordre. Lentement, Michel et Stead se dirigent vers l'escalier. Le vieux journaliste est tout à fait remis du malaise qui l'a conduit sur le pont une heure plus tôt et il sent le sommeil le gagner.

Les gens affluent maintenant sur le pont supérieur. Simple curiosité. Ils veulent savoir pourquoi le navire a stoppé. L'ingénieur Andrews passe, l'air préoccupé. Il vient d'être convoqué d'urgence à la passerelle. Ismay le suit à peu de distance. Puis c'est le capitaine en personne qui vient demander à chacun de regagner sa cabine ou les différents salons. Il ne se passe rien de grave.

Michel se sent libéré d'un grand poids. Il suppose en effet que, même si Stead a eu raison de craindre le pire, désormais les risques de collision seront beaucoup plus réduits car les officiers, alertés par cet incident, feront preuve de prudence. Lorsque le *Titanic* repartira, toutes les précautions seront prises pour éviter un véritable accident. Et sans plus se préoccuper de « l'incident », laissant Stead à ses observations, Michel se glisse à travers la foule et rejoint Bedford et ses amis au fumoir.

Sur la passerelle, on est moins optimiste. Boxhall a fait un premier rapport indiquant que tout va bien et qu'il n'a pas trouvé trace de la moindre avarie. Mais Smith ne peut se contenter d'un compte rendu aussi superficiel. Il lui donne l'ordre de redescendre et de contacter les responsables de la salle des machines et des chaufferies. Il va faire une inspection des cales et des compartiments étanches pour déceler une éventuelle avarie.

Boxhall n'a pas besoin d'aller bien loin. Il croise presque aussitôt Charles Henrickon, le chef chauffeur, qui accourt.

« Les chaufferies cinq et six sont sous l'eau! annonce-t-il en haletant. J'étais en train de travailler dans la cinq lorsque nous avons entendu un bruit épouvantable. L'eau a fait irruption dans la salle et nous avons vu qu'il y avait dans la coque une déchirure de soixante centimètres environ. J'ai couru à la six où la situation est pire car la coque est trouée à plusieurs endroits! Les deux chauffeurs étaient en train de bavarder entre deux pelletées de charbon quand la sonnerie d'alarme a retenti. Comme chez nous, la lumière rouge s'est allumée au-dessus de la cloison étanche qui s'est refermée instantanément. La mer s'est engouffrée dans la pièce et les deux hommes n'ont eu que le temps de bondir sur l'échelle de secours pour ne pas être noyés! »

Boxhall s'apprête à faire demi-tour pour faire son rapport au commandant lorsqu'il s'entend interpeller. C'est un employé de la poste, visiblement très agité.

« Monsieur Boxhall! Les soutes de la poste sont sous l'eau qui a presque atteint le pont G en l'espace de cinq minutes! Nous déménageons les sacs sur l'entrepont! »

Ainsi, malgré les apparences, la situation est grave. Boxhall rejoint la passerelle en même temps que le commandant en second, Wilde. On tient conseil. Il n'y a rien à reprocher à Murdoch, pas plus qu'aux vigies.

Smith pense à leur requête de ce matin. S'il avait ordonné à l'un de ses officiers de prêter ses jumelles à Fleet ou à Lee, la catastrophe aurait peut-être été évitée! Il se sent coupable de cette négligence. Soudain, il se souvient qu'il en a commis une seconde dont les conséquences peuvent être aussi graves : il a oublié de commander la manœuvre de sauvetage. Il est inexcusable!

La porte s'ouvre et l'ingénieur Andrews, habillé de pied en cap, entre précipitamment. Il vient de procéder à l'inspection rapide des dégâts. Il semble hors de lui. Deux secondes plus tard, Ismay fait à son tour son apparition, en pantoufles et en pyjama, un manteau passé à la hâte sur sa tenue nocturne. Il y a un bref silence. Personne n'ose parler. Andrews, désespéré, songe combien il a eu tort, ce matin, de ne pas insister pour que l'on respectât les consignes concernant l'angle. Enfin, il rejoint Wilde, Murdoch et Ismay qui se sont regroupés autour du capitaine Smith. Celui-ci consulte le clinomètre avec consternation. Le navire donne de la gîte, 5° vers tribord, et cela moins de dix minutes après la collision! Ils se regardent, le visage blême sous les flots de lumière électrique déversés par le lustre.

« Capitaine, croyez-vous que ce soit grave? demande Ismay d'une voix tremblante.

— Non seulement je le crois, mais j'en suis sûr. Venez, Wilde, et vous aussi, Andrews, nous allons inspecter nous-mêmes l'avarie. »

Lightoller et Pitman, qui dormaient dans leur cabine, ont été éveillés par le frémissement dû à la collision. Lightoller est sorti sur le pont en pyjama, a regardé à bâbord, puis à tribord et, n'ayant rien décelé d'anormal, il vient de se recoucher lorsque Boxhall entre et l'informe qu'on a heurté un iceberg. Lightoller s'habille aussitôt et monte sur la passerelle. Pitman, également prévenu, va aux nouvelles quand il se heurte à un groupe de chauffeurs portant leurs sacs qui se dirigent vers le pont supérieur.

« Que se passe-t-il?

— L'eau a envahi les chaudières! Notre chambrée a déjà un pied d'eau! Elle est située à l'avant, vers bâbord, dans moins d'une heure elle sera engloutie! Nous déménageons nos affaires. »

Smith et Andrews, revenus de leur inspection, font le point pour les officiers, réunis au grand complet à l'exception de Lowe, qui dort encore.

« Messieurs, commence Smith, j'ai le regret de vous dire que le *Titanic* n'a plus longtemps à vivre. Vous savez comme moi que le carénage du fond n'est double qu'à hauteur d'homme. La collision a malheureusement eu lieu juste en dessous de la ligne de flottaison, approximativement au niveau H à l'endroit où le carénage n'est plus renforcé. Six compartiments sont touchés! Le frottement de l'iceberg contre le carénage a provoqué six petites brèches aux zones de jonction des rivets qui se sont désolidarisés.

— Mais nous pouvons tenir longtemps avec six compartiments sous l'eau!

— Non, monsieur Ismay, intervient Andrews

d'un ton accablé, le bateau est prévu pour résister à l'inondation de trois compartiments étanches, pas un de plus. Du reste, vous semblez oublier que seules les cloisons des compartiments un à cinq rejoignent le pont D et assurent une parfaite étanchéité! Les autres s'arrêtent au pont F. La progression de l'inondation est fatale : tôt ou tard, l'eau du six se reversera dans le sept, et ainsi de suite. Le rivetage de la coque a implosé sur une surface totale de douze pieds carrés[1], ce qui signifie que sept cents tonnes d'eau se déversent chaque seconde dans le paquebot. Dans une heure, en tenant compte du pompage, nous aurons dix-neuf mille mètres cubes d'eau dans la coque avant, le double dans deux heures. Les six premiers compartiments sont déjà inondés, ainsi que la poste et la salle de squash. Le *Titanic* coulera dans deux heures quinze environ. Ah! Comme ce petit a vu clair! ajoute-t-il pour lui-même. Non, mon système n'était pas infaillible, non, le *Titanic* n'était pas insubmersible…

— Eh bien, vous savez ce qui vous reste à faire, messieurs. Lightoller, ordonne le capitaine, occupez-vous des embarcations aux numéros impairs, à tribord, et vous, Murdoch, des numéros pairs! Boxhall, allez me chercher les listes d'affectation des passagers. Que les mécaniciens et les chauffeurs qui le peuvent restent à leur poste jusqu'au bout, pour maintenir la pression nécessaire aux pompes et aux générateurs d'électricité! Envoyez les soutiers

---

1. C'est-à-dire un mètre carré environ.

et les chauffeurs inoccupés aider l'équipage. Quant à vous, messieurs, dit-il en se tournant vers les autres officiers, allez éveiller les passagers et leur dire de boucler leurs ceintures de sauvetage. Qu'ils attendent ensuite qu'on les appelle pour embarquer. Quand les appels retentiront, veillez tous à ce que les passagers de chacune des classes se rendent aux points d'embarquement qui leur sont réservés. Ne tolérez aucune exception sous peine de panique généralisée ! »

Pendant ce temps, Phillips est toujours occupé à transmettre ses messages privés. Il ne s'aperçoit pas tout de suite que le bateau s'est arrêté, tant son travail l'absorbe.

Un quart d'heure s'est écoulé depuis l'accident : il est vingt-trois heures cinquante-cinq quand le réveil sonne dans la cabine voisine. Bride, qui doit relever Phillips à minuit, s'éveille péniblement et s'étire au bord de sa couchette lorsqu'un vacarme inouï éclate au-dessus d'eux et couvre le bruit de l'émetteur. Phillips s'est levé d'un bond et a ouvert la porte pour identifier ce vacarme.

« Que se passe-t-il, Jack ? On dirait mille locomotives qui sifflent ensemble ! » hurle-t-il derrière lui.

Effectivement, tout en bas, les mécaniciens viennent de réussir à stopper définitivement les machines au prix d'efforts surhumains, et la vapeur s'échappe maintenant par toutes les soupapes de sécurité, tous les joints, tous les orifices où elle peut se frayer un chemin. Le fracas est épouvantable, et il devient insupportable lorsque Bride, passant une veste par-dessus son pyjama, sort sur le pont : les trois cheminées répandent un jet de vapeur d'une telle puissance qu'on dirait une explosion volcanique. Il regagne aussitôt la cabine et referme la porte avec soin. Ce vacarme va se poursuivre pendant près de deux heures encore en baissant progressivement d'intensité, incommoder tout le monde à bord, et contribuer, un peu plus tard, à la montée de l'inquiétude et de l'angoisse.

Bride échange quelques plaisanteries avec Phillips, puis il retourne dans le petit réduit qui lui sert de cabine et commence à rassembler ses vêtements. Il est exactement minuit.

11

Un enfant a disparu!

« Allons, debout, Lolo! »

L'enfant met une bonne minute à réagir. Trevor regrette déjà l'impulsion qui l'a amené à venir chercher son petit ami. Il va partir lorsqu'une petite voix ensommeillée marmonne :

« Quoi, qu'est-ce qu'il y a? »

Et le petit garçon se frotte les yeux. Trevor, tout en parlant, réunit des vêtements chauds et l'habille rapidement.

« Nous avons croisé un iceberg, et un énorme morceau de glace est tombé sur la promenade de troisième classe, au pont D, tout près de la proue. Tu n'as jamais vu la glace de près, n'est-ce pas? Eh bien, tu vas la voir! Ce n'est pas ce qui manque! »

Peu à peu, Lolo sort de sa torpeur. De la glace? Comme dans les histoires de *Little Nemo*? Il a hâte d'arriver. Trevor referme soigneusement la porte de la cabine, laissant Momon dormir paisiblement, et tous deux entreprennent de traverser le bateau au niveau D. Mais bientôt, ils doivent y renoncer tant il y a de tours et de détours. Dans ce dédale de portes et de couloirs, ils finissent par revenir à leur point de départ et décident de descendre à Scotland Road. Là au moins, on est sûr de ne pas se perdre.

Dix minutes plus tard, ils rejoignent le pont D, à l'avant du bateau. Il est effectivement couvert d'éclats de glace; un morceau d'iceberg de plusieurs tonnes a partiellement éclaté en tombant tout près du mât de misaine, au risque de le renverser, et le nid de pie avec. Fleet et Lee l'ont échappé belle!

Au pont supérieur, quatre étages au-dessus de Lolo et Trevor, des passagers de première classe se sont regroupés à l'endroit précis où, vingt minutes auparavant, Stead et Navratil ont assisté à l'accident. C'est un excellent poste d'observation du haut duquel les millionnaires contemplent avec intérêt les batailles de boules de glace qui font rage parmi les émigrants. Certains jeunes garçons, comme Jack Thayer et Harry Widener, brûlent d'envie de se joindre à eux.

Cependant, au milieu de la foule dense des troisièmes classes qui rit et s'agite, Lolo ramasse de petits glaçons et les regarde fondre dans sa main. Quelle mystérieuse matière, si belle, si brillante, qui tout à coup se transforme en quelques gouttes d'eau !

Près de lui, Trevor se tord le cou pour essayer d'apercevoir Mirella, qu'il n'a plus vue depuis la veille ; elle lui a été confiée et il se sent toujours une responsabilité envers elle, bien qu'Olaus ait pris la relève.

Soudain, son attention est attirée par le comportement bizarre d'un homme aux cheveux gris, distingué, en uniforme marine impeccable, les manches couvertes de galons, que l'on pourrait prendre pour un officier. Il s'est baissé et remplit dignement de glaçons un seau en argent. C'est le valet de Ben Guggenheim, venu, à la demande de son maître, récolter des morceaux d'iceberg pour son whisky !

« Tu sais, Lolo, cette glace n'est pas salée. Tu peux la goûter si tu veux ! » L'enfant s'exécute aussitôt. Le glaçon fond délicieusement sous son palais, il aimerait avoir un sirop de framboise pour le tremper dedans. Jamais, il ne retrouvera d'aussi beaux sucres d'orge. Mais d'où provient donc cette glace ?

Lolo regarde par-dessus bord. Il aperçoit non loin de là, sombres, immobiles, menaçantes, de grandes formes noires émergeant de l'eau, géants obscurs et mal intentionnés. Mais Trevor le rassure. Ce sont des icebergs, inoffensifs puisque le *Titanic* est insubmersible. Alors Lolo se souvient des compartiments étanches qui ne le sont pas. Il associe ces formes noires à celle de la Mort, venue faucher la vie des passagers du *Titanic*. Il pense qu'il va peut-être mourir. Cela ne l'effraie pas, au contraire.

Dieu a dit : « Laissez venir à moi les petits enfants ! »
Ce doit être si amusant de connaître l'autre monde !

Un quart d'heure s'écoule. Le pont se vide peu à peu, car les gens, accourus à la hâte pour ne pas manquer cette attraction imprévue, sont le plus souvent vêtus de leur tenue de nuit et regagnent leurs cabines pour se mettre à l'abri du gel. Le sentiment de sécurité est total, et c'est très tranquillement que les passagers s'en retournent chez eux.

Trevor et Lolo ne souffrent pas du froid, mais Trevor se sent gagné par un léger sentiment d'inquiétude en songeant aux messages captés par Harold dans le courant de l'après-midi qui, tous, avertissaient le *Titanic* qu'il encourrait un danger sérieux s'il ne modifiait pas son cap. Sous l'influence de Bride et de Phillips, il ne leur a pas accordé d'importance. Mais maintenant, il se sent préoccupé. Il pense à Mirella qui, à vrai dire, lui manque. Il interpelle donc Daniel Buckley au moment où celui-ci s'apprête à rejoindre la salle à manger où l'on danse, comme chaque soir. Oui, Daniel a vu Mirella valser en compagnie d'Abelseth.

« Tu viens, Lolo ? Nous allons la retrouver. Je te raccompagnerai chez toi un peu plus tard. »

Les voilà donc redescendus à Scotland Road, par un escalier de service. Quelle n'est pas leur surprise, lorsqu'ils débouchent à l'extrémité avant de la coursive qui traverse tout le bateau dans le sens de la longueur, de voir qu'elle est envahie par une mince couche d'eau qui semble progresser à vue d'œil le long de l'immense couloir pentu ! Il y règne une activité intense. Les hommes d'équipage, chauffeurs, soutiers, électriciens, mécaniciens sont peu à peu chassés de leur lieu de travail ou de leur chambrée et fuient l'inondation. Les uns courent dans leur cabine afin de sauver le plus précieux, les autres s'acheminent vers le pont supérieur où l'on commence à détacher les embarcations. Réquisitionnés pour la manœuvre, ils traînent leur sac avec eux. Tout ce monde parle très fort pour se faire entendre par-dessus le sifflement continu des cheminées. Trevor croit rêver. Et, de fait, la vision offerte par Scotland Road, entièrement vide vingt minutes auparavant, a de quoi troubler l'esprit.

Lolo, très intéressé, contemple ce spectacle insolite tout en bombardant Trevor de questions :

« Que se passe-t-il? Pourquoi y a-t-il de l'eau par terre? Et pourquoi tant de gens dans le couloir? Est-ce que les compartiments sont pleins d'eau aussi? »

Incapable de lui répondre tant il est ému, Trevor vient de comprendre la gravité de la situation. C'est un fait indiscutable : le bateau prend l'eau! Dans son trouble, il a du mal à rassembler ses idées. Lolo n'a pas peur, bien au contraire, il se sent tout excité. Tous deux s'immobilisent quelques instants, les pieds dans l'eau, à regarder cette scène inattendue.

L'agitation, au-dessous d'eux, va croissant. Un nouveau flot d'hommes en déroute vient grossir le précédent, et Pritchard croit apercevoir des visages connus. Il se frotte les yeux machinalement. Alors, s'arrachant à sa paralysie, il pense enfin au danger qu'il fait encourir à l'enfant et, prenant la main de

Lolo, il se met en devoir de rejoindre au plus vite l'arrière du vaisseau, comme la majorité des gens qui se trouvent là. Soudain, il entend derrière lui une voix qui se veut joyeuse :

« *Hello, old boy!* Sais-tu que l'eau nous a chassés de nos cabines ? Il nous a donc heurtés, ce sacré iceberg ! Et il a fait un trou dans la coque ! »

C'est Martin Callagher. Il a sa cabine à l'arrière, au pont F, au-dessous de celle d'Abelseth. Ce soir-là, il a préféré lire chez lui au lieu de se joindre au groupe et il a perçu le même bruit de froissement de tôles que Mirella et Olaus, encore amplifié par la proximité du point d'impact. Il a bondi de son lit pour aller aux nouvelles, et à son retour, il a trouvé deux pieds d'eau chez lui.

Impossible de s'arrêter. La foule, maintenant anxieuse, les entraîne. Enfin, l'on parvient près d'un petit escalier de service où l'on peut se garer de l'intense trafic. Trevor lâche la main de Lolo et le fait asseoir près de lui, à l'abri. L'enfant observe avec curiosité les mouvements de foule au-dessous d'eux. Soudain une pensée lui traverse l'esprit et le bouleverse : si le navire prend l'eau, Momon, tout seul dans la cabine, est en danger ! De plus, son papa doit terriblement s'inquiéter de l'absence de son grand garçon ! Sans réfléchir, Lolo s'élance dans la foule.

Carl Johnson les a rejoints. Il cause avec Trevor.

« Avez-vous vu Mirella ?

— Je l'ai aperçue avant la collision en train de danser avec Olaus. Mais l'apparition d'un rat l'a terrorisée. Tous deux sont sortis ensemble de la salle à manger et je ne les ai pas revus depuis. »

Trevor se sent soudain gagné par la panique. Il maudit son inconscience. Pourquoi avoir conduit Lolo ici au moment du danger? Michel doit chercher son fils pour le mettre en sécurité! Si le *Titanic* prend l'eau, il peut tout aussi bien couler! Seigneur! Un naufrage! Mais alors, il n'y a plus une seconde à perdre! Il tend la main et baisse les yeux. Lolo a disparu…

Là-haut, au fumoir de première classe toutes portes closes à cause du sifflement des cheminées, la conversation se poursuit avec acharnement, dans la plus totale inconscience du péril. Bedford suppute les chances des socialistes allemands, après leur dernier succès aux élections du Reichstag. Il insiste, face à son interlocuteur du moment, un Allemand du nom d'Alfred Nourney[1], sur le péril que représentent le pangermanisme et la politique impérialiste de Guillaume II. Tous deux sont près d'échanger des mots. Un peu plus loin, Michel, l'esprit en paix, sans le moindre pressentiment fâcheux, écoute avec intérêt plusieurs millionnaires évoquer les premiers temps du chemin de fer aux États-Unis et la grande étape qu'a constituée dans son histoire la jonction est-ouest du chemin de fer transcontinental, en 1869.

On demande au jeune Navratil quels sont ses

_____

1. Nourney voyageait, comme Navratil, sous un pseudonyme : baron Alfred von Drachenstedt.

projets à New York. Michel a pris très au sérieux la proposition d'Isidor Straus. Il pense ouvrir dans les magasins Macy's un rayon de prêt-à-porter haute couture. Cette idée séduit ses interlocuteurs qui s'attendrissent ensuite sur leur passé. Ils évoquent les temps héroïques où leur famille a quitté la vieille Europe pour émigrer aux États-Unis. Presque tous, ici, sont des Américains de fraîche date, les plus anciens appartiennent à la deuxième génération née en Amérique.

« Les émigrants européens sont une véritable manne pour les compagnies maritimes, reprend Charles Hays en riant, comme les colons du Far West pour les compagnies ferroviaires américaines! La White Star Line l'a compris la première et vous verrez que les compagnies rivales suivront le mouvement, c'est de leur intérêt. »

Bedford s'approche du groupe, l'air soucieux.

« Excusez-moi d'interrompre votre conversation, messieurs, mais avez-vous remarqué l'inclinaison bizarre du liquide dans nos verres? »

Tout d'abord, personne ne comprend ce qu'il veut dire. Puis il faut bien se rendre à l'évidence. Le whisky et le cognac forment un angle d'une dizaine de degrés de plus que la normale avec le verre. Les hommes se regardent, interdits. Personne n'ose commenter la situation. Puis Harry Widener lance d'une voix moqueuse :

« Hystérie collective, mes amis! Ouvrez les yeux! Ressaisissez-vous! »

Michel n'a pas le cœur de répondre. Ainsi l'iceberg

a causé une avarie au *Titanic*. La situation est donc grave? Le vieux Stead aurait-t-il eu raison?

Widener, Thayer, Hays et le major Archie Butt ont un mouvement vers la porte. Au même instant, Smith entre. Un grand pli barre son front et ses lèvres paraissent plus fines que d'ordinaire.

« Messieurs, j'ai le regret de vous dire que la situation est préoccupante. Regagnez vos cabines, couvrez-vous chaudement, prenez le minimum de choses avec vous et montez sur le pont supérieur. Vos familles sont déjà prévenues par nos stewards. Bouclez vos ceintures de sauvetage et attendez qu'on vous appelle pour embarquer dans les canots. »

Et Smith rebrousse chemin. Le major Butt lui emboîte le pas et lui dit à voix basse :

« Embarquer dans les canots? Vous plaisantez, commandant! Pour une petite gîte de dix degrés? Mais le *Titanic* est insubmersible!

— Si insubmersible qu'il n'a pas deux heures à vivre! Les ponts G, F et E sont sous l'eau à l'avant. La situation est catastrophique. Gardez-le pour vous, sinon nous aurons rapidement la panique à bord, mais encouragez vivement vos amis à se dépêcher d'exécuter mes consignes! »

Butt retourne lentement vers les fumeurs qui l'attendent en silence.

« Messieurs, ne vous méprenez pas, la situation est grave. Ne perdez pas de temps! Allez retrouver les vôtres, et exécutez les ordres du capitaine! »

Un tollé accueille ses paroles. Chacun a vécu depuis le départ avec la conviction que même

Dieu ne pourrait couler ce navire et Il le coulerait? Voyons, c'est une plaisanterie! Le bateau flottera au moins jusqu'à l'arrivée des secours.

Bedford intervient. Il se souvient des réponses que Lolo a faites à ses questions, l'avant-veille, à propos de l'étanchéité du navire.

« Malheureusement, messieurs, seuls les compartiments de la proue et de la poupe sont vraiment étanches. Les autres communiquent entre eux. Dans ces conditions, la progression de l'eau est mathématique, nous allons couler... »

Cet argument est déterminant. Tout le monde se disperse sans un mot en direction des cabines. Bedford cherche Michel des yeux, mais il a disparu. L'avertissement du capitaine Smith lui a suffi. L'iceberg a donc frappé à mort le grand pyroscaphe, et ni Stead ni Michel ne s'en sont rendu compte! L'effleurement de la montagne de glace leur a semblé une caresse dans l'obscurité, alors qu'elle déchirait la coque impitoyablement.

Tant de temps perdu à bavarder et à écouter parler ces gens de riches capitaux, d'investissements juteux, toutes choses que le danger rend soudain si dérisoires! Et les enfants qui sont tout seuls! Si le steward les avait déjà emmenés? S'il ne parvenait pas à les retrouver? À cette idée, Michel sent ses cheveux se hérisser sur sa tête. Il pense aux seize malheureuses embarcations, là-haut, qui ne peuvent sauver que la moitié des passagers, à l'océan glacial, profond de trois ou quatre kilomètres, au-dessous d'eux. Il concentre ses forces et n'a plus qu'une idée, sauver ses enfants et se sauver lui-même avec eux. Il part en courant, se heurtant continuellement à une foule serrée, étrange, fantomatique, qui va, vient, s'entrecroise, dans les escaliers et les couloirs. Une atmosphère de carnaval vénitien! Les tenues les plus invraisemblables se côtoient : pyjamas, déshabillés vaporeux sur lesquels on a passé rapidement une cape de zibeline, un manteau de loup de Sibérie, un simple peignoir, robes du soir, smokings, cols durs, vêtements de sport en tweed, pull-overs à col roulé, casquettes à grandes visières, chapeaux à larges bords couverts de plumes ou de fleurs, bottes fourrées, mules sur des pieds nus, escarpins vernis, tout un bric-à-brac vestimentaire à moitié recouvert d'une gigantesque ceinture de sauvetage de couleur claire.

Michel semble seul gagné par la panique. Il bouscule tout le monde sur son passage, provoquant des protestations indignées de la part de ces êtres civilisés qui se rendent sur le pont des embarcations comme à une soirée de gala. Car bien qu'on les ait prévenus du danger, la plupart des passagers de première classe persistent à ne pas y croire.

Bedford, quant à lui, n'hésite pas. Il se précipite à la suite de son jeune ami. Michel a besoin d'aide car on se battra pour l'accès aux derniers canots. Il faut faire vite si on veut sauver les enfants.

Pendant ce temps-là, Phillips envoie ses premiers C.Q.D.[1], sans la moindre conviction, du reste.

---

1. C.Q.D. étaient les initiales choisies pour les appels au secours radio avant l'adoption de S.O.S.

Tous les messages privés sont annulés, sur ordre du capitaine. Nullement inquiet, le chef radio plaisante avec Harold Bride tout en émettant la position du navire calculée par Boxhall. Bientôt les premières réponses arrivent, exprimant le plus grand scepticisme de la part des transatlantiques qui ont capté les messages de détresse. La plupart de ses collègues radio croient à un canular. Le *Frankfurt* se manifeste à minuit dix-huit, puis viennent le *Mount Temple*, le *Virginian*, le *Birmingham*. Bride ne cesse de courir de la cabine radio à la passerelle avec les nouveaux messages et ne trouve pas le temps de s'habiller.

Loin du point d'impact à l'arrière du bateau, les salons de première classe se vident lentement, à regret, sans que personne ne veuille bien admettre l'existence d'un danger...

Cependant, tout en bas, Lolo a été absorbé par la foule qui reflue vers l'arrière de la coursive que l'eau n'a pas encore atteinte. Entraîné par le flot mouvant, Lolo a enfin rejoint l'escalier qui donne accès à la deuxième classe. Quelle n'est pas sa frayeur de constater que la porte de communication est gardée par un matelot armé d'un pistolet qui empêche tout passage! Les gens s'agglutinent. Il est inutile d'essayer de passer, il sera étouffé avant même d'avoir fait dix pas. Alors, saisi de panique, il s'élance en sens inverse, à la rencontre de Trevor.

Celui-ci s'est précipité à la poursuite de Lolo. Il a remarqué au passage un escalier très pentu qui conduit à un trou béant, sur le côté droit de la coursive. Il réussit à en faire le tour et, se penchant, découvre l'eau qui clapote sinistrement six mètres plus bas, au pont F, et où surnagent des centaines de sacs postaux que les employés ont dû abandonner. Par quelques minces interstices, on distingue les étages inférieurs, éclairés sur toute leur hauteur par les lampes électriques qui continuent de fonctionner. Et si Lolo était tombé? Sans s'en rendre compte, Trevor a fait le tour de l'orifice et la foule le reprend. Il parvient ainsi à l'extrémité de Scotland Road et croise sans le voir Lolo qui, tout sanglotant, se fraie un chemin en sens contraire. Arrivé à l'extrémité de Park Lane, la crainte, lancinante, intolérable, que Lolo soit tombé à l'eau le rejette en arrière. Il tente de remonter le courant ininterrompu qui reflue vers la poupe, se heurte sans cesse à des gens sans visage. Enfin, après un combat au corps à corps, il parvient à l'escalier de la poste et se penche pour scruter la surface de l'eau. Sans résultat. Le nombre des sacs flottants s'est accru[1], le niveau de l'eau s'est rapproché et l'on ne distingue plus rien d'autre, car la lumière est masquée par les sacs. Trevor reste là, sans savoir que faire, avec la hantise que Lolo ne se soit noyé par sa faute, lorsque deux voix familières l'interpellent. Mirella et Olaus, qui viennent d'évacuer leur cabine inondée, avancent à trois mètres de lui. Au même moment, une bousculade le projette dans le trou où il disparaît la tête la première.

---

1. Il y en a en tout 3 343, qui s'accumulent sur plusieurs épaisseurs avant de couler.

12

Pris au piège

En arrivant au couloir qui conduit à sa cabine, Michel se heurte à l'ingénieur Andrews qui parcourt le navire sans relâche et exhorte les passagers à mettre leurs gilets de sauvetage et à évacuer leurs cabines. Il parle à Mme Hoghes, qui sait maintenant que Rosalind ne s'était pas trompée.

« Allons, madame, mettez votre gilet! Comme les autres!

— Je ne voulais pas inquiéter les passagers!

— Si vous tenez à la vie, endossez-le tout de suite. C'est à vous de donner le bon exemple! »

Et, se tournant vers Navratil :

« Ah! Monsieur Hoffmann! Ne tardez plus, il

faut vous rendre d'urgence sur le pont des embarcations! Mais vos enfants?

— Précisément, je vais les chercher!

— Vous avez déjà trop tardé! Faites vite! C'est votre vie et la leur qui sont en jeu! »

Michel est arrivé chez lui. Il ouvre la porte avec fracas, allume la lumière et se met en devoir d'éveiller ses enfants. Quelle n'est pas son horreur en découvrant que seul Momon répond à l'appel!

« Lolo! Où est Lolo? crie-t-il au petit tout endormi.

— Chais pas! Pas vu! » balbutie-t-il.

L'affolement de Michel est tel qu'il ne parvient pas à vêtir son fils. Il a répandu tous les vêtements par terre et ne sait que choisir. Au même moment, l'on frappe à la porte. C'est le chef steward John Hardy, qui se charge personnellement d'aider les passagers à mettre leurs gilets.

« Mon fils, j'ai perdu mon fils! » hurle Michel.

Et Momon se met à pleurer. John Hardy va à Michel et le prend par l'épaule.

« Allons, monsieur! Restez calme! Ce n'est pas le moment de perdre la tête! Tenez, je vais vous aider à habiller le petit, nous verrons ensuite. Pensez aussi à vous-même, couvrez-vous le plus chaudement possible et mettez votre gilet! Vous le trouverez en bas du placard, près de votre lit, ainsi que ceux de vos deux enfants. »

Au même moment, la porte de la cabine s'ouvre plus violemment encore que précédemment et Trevor apparaît sur le seuil, livide, son gilet de sauvetage à la main. Sa chute a été amortie par les sacs et il n'a même pas touché l'eau. Il a appelé Lolo aussi fort qu'il le pouvait mais personne n'a répondu. Partagé entre l'espoir et le découragement, il a cherché une issue, escaladé un monceau de sacs et rejoint une échelle. Il est ressorti à peine mouillé et a trouvé Mirella et Olaus qui désespéraient de le revoir. Il leur a expliqué la disparition de Lolo.

« Il n'est certainement pas tombé dans l'eau, la foule l'aura emporté malgré lui! Nous allons le retrouver! a affirmé Olaus. Allez vite prévenir Michel que nous nous occupons de Lolo. Rendez-vous dans un quart d'heure à la salle à manger de troisième classe, nous aurons le petit avec nous! »

Trevor a regardé sa montre qui marquait l'heure de sa chute, minuit et demi. Machinalement, il a levé la tête et s'est rendu compte que l'échelle postale conduisait aux étages supérieurs! Sans hésiter, il l'a empruntée et est ainsi parvenu directement en seconde classe, non loin de la cabine des Hoffmann.

« Michel, c'est épouvantable! Je suis venu chercher Lolo voici une demi-heure pour lui montrer les morceaux d'iceberg tombés sur le pont D. Mais au retour, dans la foule, il m'a échappé et je l'ai perdu! Mirella et Olaus sont à sa recherche, venez vite !

« Puisque M. Pritchard est ici, il va vous aider, intervient le steward. Je vous prie de m'excuser, je dois m'occuper de vos voisins. Si je vois votre fils, soyez sans crainte, je le conduirai directement aux canots de sauvetage. »

Le steward, qui doit encore alerter et aider une

dizaine de familles, disparaît rapidement. Trevor empile sur Momon tous les habits qu'il peut, tandis que Michel enfile un gros chandail, sa veste et son manteau de fourrure et tente de boucler son gilet de sauvetage. Deux minutes ne se sont pas écoulées que la porte s'ouvre à nouveau, et Bedford fait son apparition.

« Je viens à votre aide, Navratil. Mais où est Lolo?

— Perdu! Nous partons à sa recherche. »

En deux mots, Charles est mis au courant.

« Navratil? demande Trevor intrigué quand on a quitté la cabine.

— Oui, Navratil! Hoffmann n'est qu'un pseudonyme. Cela n'a plus d'importance, maintenant! Il faut sauver les enfants! Vite! Courons! Il est une heure moins le quart. L'heure du rendez-vous avec Mirella!

On s'engouffre une fois de plus dans des couloirs et des escaliers, à contre-courant. Momon porte deux paires de chaussettes l'une sur l'autre, deux chandails, sa veste de marin, un caleçon, un pantalon de flanelle et son manteau de fourrure qui, heureusement, a été conçu en prévision d'une croissance rapide. Le gilet de sauvetage, disproportionné, lui donne l'allure d'une grosse tortue. Bedford l'a pris sur ses épaules, Trevor tient les vêtements de Lolo et son gilet. Michel les précède en courant au risque de les distancer. Momon, trempé de sueur, terrorisé par tant d'agitation et surtout par l'affolement de son père, ouvre la bouche pour hurler mais aucun son ne parvient à en sortir.

Il devient de plus en plus difficile d'avancer. Chaque classe a son pont d'embarquement réservé mais il règne un désordre total dans la transmission et l'exécution des ordres de la passerelle[1]. En effet, le règlement de la White Star Line prévoit que les passagers de troisième classe accèdent aux chaloupes de sauvetage par le pont D où les canots qui leur sont destinés doivent s'arrêter pour les embarquer. Le capitaine a bien envoyé deux groupes de matelots en troisième classe chargés de s'occuper de l'embarquement des femmes et des enfants. Mais à bâbord, du fait de la gîte du navire, les canots passent trop loin du pont pour que l'on puisse y accéder. Les malheureux rassemblés là, impuissants, voient passer les chaloupes, les unes après les autres, à peine remplies au tiers ou à demi sans qu'aucune ne s'arrête.

Aucun des canots de tribord ne s'arrête non plus au pont D, probablement parce qu'il n'y a personne capable de diriger la manœuvre car les canots passent à portée de main, en raclant la coque, véritable supplice de Tantale. Ainsi, par une amère ironie du sort, les matelots envoyés pour sauver les femmes et les enfants se bornent à empêcher la foule d'embarquer par la force !

Les passerelles prévues pour l'embarquement des passagers de seconde classe n'ont pas été ouvertes, mais pour eux, l'accès au pont supérieur est libre.

---

1. Si le capitaine Smith n'avait pas oublié de faire exécuter l'entraînement à la manœuvre de sauvetage prévue ce matin-là, il aurait épargné des centaines de vies supplémentaires, en particulier en troisième classe.

Tout se passe comme si le commandant avait donné l'ordre de sauver en priorité les passagers de première et seconde classes, ce qui n'est nullement le cas.

Pendant ce temps, Michel, qui ouvre toujours la marche, parvient, au pont D, à la porte de communication qui relie la seconde à la troisième classe et se heurte à un matelot armé.

« Ouvrez-nous la porte ! Mon fils de quatre ans est resté en troisième classe ! Nous allons le chercher !

— Impossible. J'ai la consigne de ne laisser passer personne. Et comme il y a une centaine de personnes qui attendent, là-derrière, de pouvoir sortir, je ne peux pas faire d'exception pour vous ! Il y aurait un raz de marée humain qui vous barrerait la route. »

Navratil et Bedford se regardent atterrés. Mais déjà Trevor les entraîne vers l'échelle miraculeuse qui conduit à la coursive. Cinq minutes plus tard, ils pénètrent dans la salle à manger de troisième classe où, contrairement au tumulte dans les couloirs – car les cheminées sous pression ne cessent pas leur vacarme de locomotive –, il règne un calme relatif. Otto Schmidt est au piano. Au moment où ils ouvrent la porte, l'assemblée chante *Plus près de toi, mon Dieu*. Les visages sont graves, recueillis. Chacun sait que bientôt, l'eau gagnera la pièce car bien qu'on soit à l'arrière qui a tendance à s'élever tandis que l'avant s'enfonce, l'on se trouve au niveau F qui ne tardera pas à être totalement inondé. Il y a, dans cette foule de croyants, tendue par la même volonté d'accepter sereinement la mort, une grandeur tragique qui bouleverse Michel. Les familles se sont regroupées. L'on se tient par la main, par la taille, les pères et les mères portent leurs plus petits enfants dans les bras. Et là-bas, au troisième rang, Michel distingue Mirella et Lolo, elle à genoux, lui debout, grave, priant de tout son cœur, sa petite main posée sur l'épaule de la grande amie. Soudain, l'enfant aperçoit son père et son frère. Son visage s'éclaire et, oublieux de la solennité de la cérémonie, il court dans leur direction à travers la foule. Bouleversé, Michel ne peut articuler un son. Charles dépose Edmond à terre et le père serre avec passion ses deux petits contre lui.

Mirella les rejoint, suivie d'Olaus. Le petit groupe se remet en marche après avoir refermé doucement la porte derrière lui et prend sans tarder le chemin du retour. Plus que jamais, le temps presse. Mais parvenus à l'échelle, tous doivent se rendre à l'évidence. Quelqu'un, là-haut, a refermé la trappe. L'issue est bouchée...

Devant la porte conduisant à la deuxième classe, la foule s'impatiente, il règne une atmosphère de révolte. Le matelot, poussé dans ses retranchements, hurle qu'il ne fait qu'exécuter des ordres. Bientôt, ce sera au tour des passagers de troisième classe d'embarquer, il suffit d'avoir un peu de patience. Bedford et Michel, suivis de Trevor et Mirella qui portent les enfants, se frayent un chemin au coude à coude jusqu'au matelot.

« Laissez-nous passer! Nous sommes des voyageurs de seconde classe!

« — Et qu'est-ce qui me le prouve? Vous avez vos billets sur vous? »

Personne ne les a. Et Bedford d'argumenter, de nommer le numéro de leurs cabines. Rien n'y fait, la porte reste obstinément close. Autour d'eux l'hostilité grandit, bien compréhensible. C'est cela la démocratie! Comment cet homme a-t-il osé revendiquer le privilège, pour lui et ses amis, d'être sauvé, alors qu'autour d'eux, un grand nombre de femmes et d'enfants attendaient en vain qu'on vienne les chercher?

Michel embrasse ses enfants et cherche à les calmer; Charles, Mirella, Olaus et Trevor se font tout petits. Et l'aiguille de la grande horloge, là-bas, dans l'escalier luxueux, tourne inexorablement sous le regard figé de la Gloire et de l'Honneur.

À Nice, Marcelle, qui n'a plus aucune nouvelle de son mari et de ses enfants disparus depuis une semaine, dort d'un sommeil très agité. À plusieurs reprises, elle s'est éveillée trempée d'une sueur glacée, en proie à l'angoisse. Elle a l'impression qu'un événement irréparable est sur le point de se produire. Vers vingt-trois heures, elle se lève, ouvre la fenêtre et contemple avec nostalgie le ciel étoilé mais sans lune. Peut-être Michel et les enfants le regardent-ils eux aussi. Quelle merveilleuse tiédeur de l'air! Et eux, ont-ils froid? Pensent-ils à elle, à son désespoir? Si seulement elle avait su dire non à Rey de Villarey, jamais Michel ne se serait enfui avec les petits. Marcelle referme doucement la fenêtre et regagne son lit. Tourmentée par un sentiment de culpabilité, elle se rendort péniblement.

À une heure, très précisément, son rêve revient : Michel lui apparaît. Tout d'abord, elle ne le reconnaît pas. Elle ne distingue qu'un long couloir tout blanc, dont les murs sont curieusement obliques. Là-bas, tout au loin, une silhouette sombre s'avance en chancelant, s'appuyant à la paroi. Peu à peu, la forme se précise et bientôt elle est suffisamment proche pour qu'elle puisse discerner les traits de son mari et la couleur de son visage, d'une blancheur de cire. Péniblement, Michel tente d'articuler des mots d'une voix imperceptible. Mais le couloir s'incline davantage, Michel vacille, étend les bras pour se tenir aux parois et la vision disparaît. Marcelle s'éveille dans un état d'angoisse intolérable. Elle est assise sur son lit, la main tendue.

Dix minutes plus tard, Marcelle est allongée sur son lit, les yeux grands ouverts. Plus que jamais, elle a l'esprit lucide. Elle a la conviction qu'elle vient de vivre un phénomène de seconde vue. Curieuse impression. Plus curieuse encore, cette absence totale d'émotion qui a succédé à l'angoisse, comme si Marcelle était un lieu neutre où se déroulait un événement capital, comme si celui-ci s'inscrivait en elle sur de la cire vierge. Elle se sent dans un état de totale réceptivité. Il n'y a plus qu'à attendre. Elle ferme les yeux et tombe dans une torpeur qui a les apparences du sommeil profond.

*

* *

Sur le *Californian*, l'élève-officier Gibson et le deuxième officier Herbert Stone qui est de quart observent avec de plus en plus de curiosité les étranges événements dont le mystérieux navire, à huit milles de là, semble être le théâtre. Lorsque le troisième officier, Victor Groves, a informé à vingt-trois heures le capitaine Lord qu'un paquebot de grande taille semblait immobilisé non loin d'eux et que ses lumières avaient momentanément baissé d'intensité, le capitaine a ordonné à l'équipage d'entrer en communication avec lui par signaux lumineux, ce qui n'a donné aucun résultat. Evans, le radio, a gagné sa cabine à minuit après avoir fermé le récepteur.

À minuit dix, Gibson aperçoit enfin une lumière blanche dans le ciel. Puis, les fusées se succèdent à quatre minutes d'intervalle. Il descend en informer le capitaine Lord qui répond :

« Ce sont les signaux convenus de la compagnie! » et donne l'ordre qu'on ne le dérange plus.

Personne n'ose plus l'éveiller par la suite.

Vers minuit et quart, Groves essaie de communiquer par radio avec le navire, mais comme il ignore qu'il doit d'abord mettre en action le mécanisme d'horlogerie qui actionne le révélateur magnétique, le récepteur reste muet.

Maintenant, Gibson et Stone observent une nouvelle série de fusées blanches qui se suivent toujours à la même cadence.

« C'est tout de même curieux, remarque Stone pensivement, un navire ne tire pas des fusées en pleine nuit sans raison valable ! Il doit se passer quelque chose d'anormal. Gibson, tentez encore d'entrer en communication lumineuse avec ce vaisseau fantôme ! »

En vain. Le grand bateau, qui étincelle de ses centaines de hublots, reste sourd et muet. Le capitaine Lord et Evans, le radio, les seules personnes qui auraient pu changer le cours de l'histoire, dorment du sommeil du juste.

Dans la cabine radio du *Titanic*, on ne chôme pas. Bride a passé son temps à courir de la cabine de transmission à la passerelle de commandement et n'a même pas réussi à finir de s'habiller. Ni lui ni Phillips n'ont plus le cœur à plaisanter. Depuis l'envoi du premier C.Q.D., ils ont pris conscience de la réalité du danger quand Andrews vient en coup de vent informer son jeune ami Bride que le grand, le beau paquebot, son enfant, sa création miraculeuse, est frappé à mort et n'a plus qu'une heure à vivre. Bride est bouleversé, autant par le désespoir qu'il lit dans les yeux d'Andrews que par la sinistre nouvelle.

Spontanément, il se lève et le serre dans ses bras. Andrews lui rend son étreinte.

« Je suis responsable de cette catastrophe. La moitié des compartiments dits étanches communiquent entre eux. C'est une erreur impardonnable, d'autant plus que tout le monde, ici, croit encore sérieusement au mythe de l'insubmersibilité. Imagine-toi que de nombreuses femmes ne veulent même pas monter à bord des embarcations de sauvetage parce qu'elles les trouvent trop peu sûres! Ce mythe, je n'ai rien fait pour le détruire quand il en était encore temps et maintenant, les premiers canots descendent à moitié vides! Or chaque place vide, c'est un mort de plus! »

Bride croit un moment qu'Andrews va s'effondrer. Il vacille, la tête dans les mains. Puis il se ressaisit, serre une fois encore son ami dans ses bras et part en courant.

À travers l'Atlantique Nord, les antennes crépitent. L'on se passe la grande, terrible nouvelle et elle a déjà atteint le continent qui suit, impuissant, les péripéties de la catastrophe. Pour la première fois dans l'histoire de la marine, l'on assiste à distance à l'agonie d'un vaisseau. Mais si les progrès de la technique permettent de suivre de minute en minute la tragédie du *Titanic*, ils ne peuvent l'empêcher. Ce soir-là, le monde entier prend conscience de l'absurdité de la confiance aveugle dans le progrès…

À une heure moins le quart résonne pour la première fois le signal S.O.S. C'est le *Carpathia* qui capte le message : « C.Q.D.-C.Q.D.-S.O.S.-S.O.S.-C.Q.D.-S.O.S. Venez tout de suite. Nous avons heurté un iceberg. C.Q.D.-O.M. (*old man*). Position 41° 46'N, 50° 14'W. »

L'idée vient de Bride. C'est le nouveau signal international de détresse, et il a dit en plaisantant à Phillips :

« Envoie un S.O.S., c'est peut-être ta dernière chance! »

Maintenant, il ne fait plus de doute que c'est

effectivement leur dernière chance à tous. Malheureusement, à part le *Californian* qui aurait pu, en naviguant très précautionneusement, arriver en moins d'une heure sur les lieux de la catastrophe, tous les autres navires sont situés à une trop grande distance du *Titanic* pour pouvoir lui porter secours : le *Mount Temple*, le *Birma*, le *Virginian*, le *Baltic*, le *Frankfurt*, l'*Amerika*, le *Prinz Friedrich Wilhelm*, le *Parisian*, le *Provence* et l'*Olympic* répondent, mais ne lui laissent aucun espoir.

Sur l'*Olympic*, le bateau jumeau qui croise à quelques centaines de kilomètres de là, personne n'imagine l'étendue du désastre puisque Phillips reçoit à une heure vingt-cinq, peu avant le naufrage, cette étonnante question de l'*Olympic* : « Faites-vous route vers le sud dans notre direction? »

Le seul espoir concret vient du *Carpathia*. Il est situé à cinquante-huit milles du *Titanic* au moment du premier S.O.S. et télégraphie : « *Carpathia* à cinquante-huit milles, arrivons tout de suite ! » Immédiatement, il détourne sa route en direction du navire en détresse. Comme il file à environ quatorze nœuds, il lui faudra au mieux quatre heures pour parvenir sur les lieux de la catastrophe.

« D'ici là, mon vieux, nous serons tous morts ! » commente amèrement Phillips tout en se remettant avec acharnement au travail, tandis que Bride achève enfin de s'habiller.

De nombreux passagers s'interrogent maintenant à propos des mystérieuses lumières qui clignotent, parfaitement visibles à l'œil nu mais personne n'a identifié le *Californian*. Si c'est un bateau, pourquoi ne bouge-t-il pas? Pourquoi ne vient-il pas à la rescousse? La thèse de l'hallucination collective commence à circuler.

Devant la porte fermée, pressé à perdre haleine par une foule qui devient de minute en minute plus hystérique, plus claustrophobe, plus agressive puisque la survie de chacun est en jeu, Michel semble de pierre. Il vient d'avoir la vision de sa lettre emportée par le vent juste au moment où la jeune femme de chambre anglaise la sortait de son sac pour la mettre à la poste. Il est certain maintenant que cela s'est effectivement passé ainsi. Il mesure les effroyables conséquences de sa témérité. Tous vont probablement périr dans ce piège à rats. Même si par extraordinaire Michel réussit à sauver ses enfants de la mort, ceux-ci ne pourront être identifiés puisqu'ils sont enregistrés sous le nom d'Hoffmann. Qu'adviendra-t-il d'eux? Comment leur mère les retrouvera-t-elle?

Il faut prévenir Marcelle, coûte que coûte. Il pense très fort à elle. Les hurlements et la bousculade autour de lui distraient sans cesse son attention mais, à force de volonté, il parvient à se concentrer sur sa femme, à former mentalement son image. Marcelle, en vêtement de nuit, est assise sur son lit et le regarde fixement, comme hallucinée. Des larmes brillent sur ses joues. Elle tend un bras vers lui, ouvre la main. Mais son image s'évanouit aussitôt. Il est une heure, très précisément. Bouleversé,

Michel murmure à l'oreille de son fils :

« Fais bien attention, Lolo, tu ne t'appelles pas Hoffmann, tu t'appelles Navratil, Michel Navratil, comme moi. Ne l'oublie pas surtout, c'est très important pour retrouver maman! »

Mais Lolo n'écoute pas, il ne parvient pas à chasser cette peur horrible qui lui noue le ventre depuis quelques instants. Le bateau coule, tous vont périr noyés, enfermés dans cet horrible couloir. Ce n'est pas ainsi que Lolo s'est représenté la porte de la mort : elle doit s'ouvrir sur une très grande lumière et non rester fermée devant tous ces gens désespérés. Il ne réussit même plus à articuler un son. Il se cramponne à son père, convulsivement. Charles, Trevor, Olaus et Mirella, en proie à la même anxiété, lui font de pauvres sourires. Progressivement, Navratil réussit à se maîtriser. Mais la porte reste close.

13

Noblesse oblige!

Cependant là-haut, pendant que les passagers de troisième classe se pressent dans le ventre du bateau devant des portes closes, les scènes les plus risibles, les plus banales et les plus pathétiques se côtoient. Les gens vont et viennent, par petits groupes, bizarrement attifés, les uns pour une excursion en automobile ou une expédition à skis – il y a même des lunettes noires! –, les autres pour un bal à l'Opéra, sans compter la foule des rêveurs et des somnambules en costume de nuit qui n'ont pas jugé bon, Dieu sait pourquoi, de se vêtir chaudement. Il est trop tard pour retourner dans sa cabine, l'eau, à l'avant, a dépassé le pont D.

Soulignant encore l'étrangeté de ce défilé, l'orchestre, au grand complet et en grand uniforme, donne, sur le pont A, un concert qui ne finira qu'avec l'engloutissement du navire. Si émouvante que puisse paraître leur abnégation, les musiciens ne jouent pas seulement pour adoucir la fin des centaines de passagers qui vont inévitablement trouver la mort. Il ne fait aucun doute que les instrumentistes qui composent l'orchestre, parmi lesquels se trouvent de tout jeunes gens, puisent dans leur amour de la musique le courage d'affronter le trépas. Néanmoins, ils ne se sont pas proposés spontanément à jouer. Le capitaine les a envoyé chercher et le travail qui leur a été assigné consiste à lutter contre le vacarme de la vapeur sifflant au-dessus de leurs têtes, contre le grincement des poulies permettant de mettre les canots à l'eau tandis que les bossoirs restent vides, contre les cris des femmes que l'on arrache aux bras de leurs maris. Les valses de Johann Strauss, les pots-pourris d'opérettes ou d'opéras ont pour fonction de détourner l'attention de la tragique réalité. Grâce à l'orchestre, toute panique semble évitée sur le pont supérieur ; la plupart des passagers éprouve un sentiment de sécurité et personne ne s'affole.

Après avoir pris congé de Michel, Stead est allé se coucher sans pressentir le moins du monde qu'un malheur était arrivé. Vers minuit trente, il est éveillé par de violents coups frappés à sa porte. C'est le steward Etches qui, après avoir prévenu Ben Guggenheim et l'avoir aidé à s'habiller et à boucler son gilet de sauvetage, vient lui proposer ses services. Sur le moment, il est très vexé à l'idée que l'événement fatal a fini par avoir lieu sans qu'il s'en doute. Comment? Il a prévu l'accident, il a rédigé son testament avant d'embarquer sur le *Titanic*, il a ironisé sur la confiance aveugle des passagers, des officiers et de l'ingénieur Andrews et il n'a pas été capable, alors même que la collision avait lieu sous ses yeux, d'en réaliser la gravité! À la réflexion, c'est le fait d'avoir assisté de près à l'accident qui l'a banalisé et lui a ôté de sa force.

Et maintenant, la fin est proche. Celle-ci ou une autre, peu importe. Stead estime qu'il a eu sa part des bonnes choses de ce monde. Le seul point qui le chagrine un peu, c'est qu'il ne pourra faire lui-même le reportage sur le naufrage... Tout de même, c'est rageant. Avoir prédit à Michel que l'événement se produirait dans moins d'une heure et ne pas avoir été fichu de le reconnaître! Stead répond sans amabilité au steward Etches qui fait de son mieux pour l'aider. Il s'entête, par exemple, à vouloir passer son manteau par-dessus son gilet.

« Non, monsieur, il vous gênera pour nager! » répète patiemment Etches, que la mauvaise humeur de ses illustres passagers ne trouble plus outre mesure.

Stead finit par se ranger aux arguments d'Etches. Des éclats de voix dans la cabine voisine lui indiquent que le steward affronte d'autres foudres, et il regrette de l'avoir maltraité.

Vingt minutes plus tard, Stead contemple sur le

pont supérieur le spectacle incroyable qui s'offre à lui.

Du haut de la passerelle de commandement, le capitaine Smith et Ismay, le président de la White Star Line contraint par la destinée de renoncer au ruban bleu, se penchent vers le pont. Le premier officier, Murdoch, se tient silencieusement derrière eux. Il est venu rendre compte au capitaine de l'insuccès des manœuvres d'embarquement : les passagers refusent d'obéir aux consignes.

Murdoch s'attribue la responsabilité de la catastrophe alors qu'il n'est, selon les mots de Smith, « qu'un outil entre les mains de Dieu ». Il sait maintenant que la manœuvre qu'il a ordonnée, pendant les trente-sept secondes fatidiques qui ont séparé l'appel téléphonique de Fleet de la collision avec l'iceberg, sera fatale à la majorité des passagers. Il se reproche de n'avoir point fait augmenter la vitesse pendant que le navire faisait demi-tour, au lieu d'ordonner la marche arrière. Le capitaine Smith a tenté à plusieurs reprises de le réconforter mais, tout comme l'ingénieur Andrews, Murdoch refuse de l'écouter. À côté de lui, Ismay marmonne entre ses dents :

« Regardez donc ces insensés, ils dansent sur un volcan ! »

Quelques couples, en effet, se sont mis à valser, et parmi eux, le vieil Isidor et la vieille Ida !

Au même instant, Lightoller surgit et s'écrie, hystérique :

« Capitaine, nous n'y arriverons jamais avec cette musique qui ensorcelle ! Ces dames de première

classe ne veulent pas embarquer! Elles estiment qu'il fait trop froid, que les canots ne sont pas sûrs! Elles préfèrent rester à écouter la damnée musique de Hartley!

— Je suis de l'avis de Lightoller, reprend aussitôt Murdoch. Nous ferions mieux de distribuer du vin aux passagers au lieu de les bercer avec des valses! Ils s'endorment dans une fausse sécurité et personne ne veut monter dans les canots!

— Le pire de tout, ajoute Lightoller, ce sont ces rumeurs qui se répandent si vite! On dit par exemple que l'*Olympic* sera là dans deux heures et remorquera le *Titanic* jusqu'à Halifax, que nous faisons descendre les canots avec les femmes et les enfants pour alléger le poids du navire et l'empêcher de couler, et autres sottises. Nous ferions mieux d'appeler chaque passager par haut-parleur pour lui assigner sa place dans les embarcations!

— Ah! Vraiment! Et que diront tous ceux qui n'auront pas été appelés? Voulez-vous créer la panique à bord? C'est le meilleur moyen. Faites comme vous l'entendez, et dans moins d'un quart d'heure, les gens se battront à mort! »

Le capitaine Smith, blanc de colère, se tourne vers les officiers.

« Retournez à vos postes, persuadez ces dames de monter dans les canots ou mettez-les de force. Et faites préparer des échelles de corde!

— Entendu, capitaine! »

Le numéro sept, premier canot mis à la mer à tribord, est occupé par l'actrice Dorothy Gibson, la belle personne qui a demandé à Michel, devant la grande horloge, quand cet endroit arriverait à New York. Sa mère et plusieurs de ses admirateurs l'accompagnent ainsi que des matelots et un sous-officier. Elle est vêtue de cette même robe signée Paul Poiret[1] qu'elle portait l'autre soir, son manteau de vison négligemment posé sur ses épaules.

La barque est descendue sur l'ordre de Murdoch qui n'a pas réussi à faire embarquer plus de monde! Elle passe sans s'arrêter devant le pont D sous le nez des femmes et des enfants de troisième classe qui attendent leur tour. À ce moment précis, l'ordre est donné, en troisième classe, de boucler toutes les issues et d'organiser des convois pour conduire les femmes et les enfants au pont supérieur d'où on les fera embarquer directement.

Le canot numéro quatre, qui aurait dû descendre le premier, s'arrête au pont A où les passagères de première classe doivent embarquer. Il y a là les plus grosses fortunes des États-Unis : les Astor, les Carter, les Smith, les Ryerson, les Harper, leur pékinois Sun Yat Sen et leur guide égyptien Hamad Hassah, les Widener, en tout une quarantaine de personnes qui se pressent sur la passerelle. Mais le passage est fermé. Lightoller donne des ordres pour que le nécessaire soit fait et demande aux futures rescapées de bien vouloir attendre avec leur

---

1. Vers 1900, Paul Poiret révolutionna le costume féminin en l'épurant et en libérant la femme du corset. La Première Guerre mondiale et des ennuis financiers l'obligèrent à abandonner la haute couture qui s'inspira beaucoup de ses modèles durant les années 1920 et 1930.

famille qu'on leur fasse signe. En raison du froid, tout le monde se retire au gymnase et commence tranquillement à bavarder.

Un peu plus tard, Stead, sur le pont supérieur, voit passer Lightoller et Murdoch qui courent vers les bossoirs. Il leur emboîte le pas. La manœuvre est fort avancée. Quelques canots sont déjà à la mer, d'autres se balancent, prêts à descendre. Les deux premiers officiers, Lightoller à bâbord et Murdoch à tribord, expliquent aux hommes qu'on embarque en priorité les femmes et les enfants et que les hommes suivront.

Stead, à bâbord, regarde autour de lui et ne peut qu'admirer le naturel avec lequel la plupart des hommes cèdent leur place dans la vie aux femmes et aux enfants. Ils n'envisagent même pas de revendiquer leur place sur un canot de sauvetage. Il s'établit une sorte de consensus, l'esprit chevaleresque règne en maître. John Astor tente bien d'accompagner Madeline dans le canot numéro quatre, expliquant que, se trouvant dans une « situation intéressante[1] », elle a besoin de sa présence. Mais il n'insiste pas devant le refus de Lightoller. Très fair-play, il s'incline et, se tournant vers Madeline :

« Ne t'inquiète pas, ma chérie, je prendrai un des bateaux suivants ! »

C'est l'argument donné par tous les maris à toutes les femmes. Mais pour la plupart d'entre elles, le choix est particulièrement atroce, la seule

---

1. Madeline est enceinte !

alternative étant de survivre avec leurs enfants ou de mourir avec leur mari.

Stead entend, près de lui, la conversation apparemment calme entre Jacques Estrelle, son voisin de cabine, un Américain d'origine française, et sa femme May. À deux reprises déjà, May a été escortée par un officier jusqu'à un canot en cours d'embarquement ; deux fois elle a rejoint son mari. Mais Jacques, maintenant, insiste :

« Tu oublies que nos enfants ont besoin de toi ! Cette fois-ci c'est moi qui vais t'escorter jusqu'à la chaloupe et surveiller que tu t'embarques bien ! »

May dissimule mal ses larmes. Jacques reste ferme et son émotion ne paraît pas. Stead les voit partir tous deux jusqu'au canot numéro seize. Après avoir mis May en sécurité, Jacques rejoint le colonel Astor, qui vient également de se séparer des siens, et lui offre une cigarette, exactement comme si rien ne s'était passé.

Stead pense que son sort de célibataire est moins dur que celui des couples. Il observe comment certaines femmes finissent par se laisser convaincre d'abandonner leur mari. D'autres au contraire s'accrochent à leur cou et refusent de quitter le navire. Et on les porte de force dans les barques.

Le vacarme de la vapeur s'échappant par les cheminées a peu à peu baissé d'intensité sans disparaître tout à fait. Il continue de couvrir les conversations, si bien qu'il faut crier pour se faire entendre.

Brusquement, le bruit cesse. Un silence surnaturel envahit les ponts et l'ensemble du vaisseau, prélude au grand silence de la mer et, pour la plupart des gens, au grand silence de la mort. Jusqu'à cet instant précis, le ton est resté enjoué, mondain, parmi les passagers qui attendent patiemment leur tour d'embarquer ou de mourir dans cette atmosphère de fête ou de grand carrousel. Hartley, le chef d'orchestre, lève précisément sa baguette pour attaquer un ragtime lorsque le silence tombe, dur comme la pierre. Son mouvement est suspendu, l'orchestre semble se pétrifier, les passagers sur le pont sont saisis de stupeur. Les conversations s'arrêtent et les enfants, saisis d'inquiétude, éclatent en sanglots. Le danger prend une réalité indéniable, palpable, et l'on cesse de se jouer la comédie.

Lorsque les accents triomphants du ragtime se font enfin entendre, les passagers de première et seconde classes reprennent leur promenade interrompue. Mais désormais, les regards sont graves. Chacun prend à cœur de cacher son angoisse aux siens, femme ou enfants, et la conversation se poursuit, apparemment aussi enjouée qu'auparavant…

C'est à ce moment-là que Lowe, le cinquième officier, que Murdoch et Boxhall ont oublié de réveiller, monte sur la passerelle de commandement et demande à être mis au courant des événements. À cet instant précis également le quartier-maître Rowe téléphone depuis le pont arrière où il est de service. Il vient d'apercevoir une embarcation de sauvetage à la mer : personne n'avait pensé à le prévenir de la collision avec l'iceberg et lui-même ne s'était rendu compte de rien. Boxhall lui fait dire de monter avec une provision de fusées blanches. Dès son arrivée à la passerelle, Rowe envoie les signaux d'alarme et le fait sans discontinuer pendant une heure sans obtenir la moindre réponse.

À chaque chaloupe a été affecté un petit groupe de matelots qui enlève les bâches, charge quelques provisions – pain, biscuits et alcool –, des lanternes, met les manivelles au bossoir, fait basculer la barque dans le vide, aide les passagers à embarquer avant de les suivre pour assurer leur sécurité une fois sur l'océan.

Mais parmi les sous-officiers affectés à l'embarquement, la confusion règne. Les listes d'affectation des passagers ne leur étant pas arrivées, ils procèdent de façon totalement improvisée. Les femmes et les enfants qui se trouvent à proximité des canots prêts à descendre sont embarqués d'autorité. Mais des hommes se sont glissés dans certains canots avant même que ne commence l'embarquement des femmes et des enfants. Parmi eux, quelques célibataires de troisième classe des plus sportifs qui ont réussi à échapper à leur prison et à rejoindre le pont supérieur en grimpant le long des filins ou des mâts des grues à bagages.

Murdoch, à tribord, tolère que des hommes occupent les places restées libres et ne fait pas systématiquement expulser les resquilleurs tandis que Lightoller, à bâbord, les chasse sans pitié. Il préfère mettre à l'eau des barques au quart, au tiers ou à moitié vides plutôt que d'y laisser monter un seul être de sexe masculin, à l'exception des membres d'équipage accompagnants.

Il est facile d'imaginer le sentiment d'injustice et de révolte qui s'empare des femmes qui viennent de s'arracher à leurs maris condamnés à une mort inéluctable lorsqu'elles découvrent à bord que la place que leurs époux auraient pu occuper à leurs côtés est prise par des inconnus !

Comme le temps presse, les canots continuent de descendre à demi remplis. Dans le numéro 1, douze personnes seulement ont pris place et se font des politesses : parmi elles, Lady et Sir Duff Gordon accompagnés de Mlle Francatelli, leur dame de compagnie, qui se lamente sur la perte de sa chemise de nuit neuve laissée dans la cabine. Abraham Salomon, qui deviendra un peu plus tard le président du comité des rescapés, et M. et Mme Henry Stengel, de riches industriels américains, se sont joints à eux. Les cinq autres passagers sont des chauffeurs, et un sous-officier, George Symons, chargé du commandement de la barque.

Stead les considère avec amertume, songeant soudain aux centaines de femmes et d'enfants qui, sur les ponts d'embarquement de troisième classe, espèrent encore que les prochains canots s'arrêteront au passage pour les accueillir. Pour comble d'horreur, les convois organisés par le capitaine Smith n'arrivent toujours pas car la foule hystérique massée devant les portes fermées, en bas, au pont D, est trop dense et ne les laisse pas passer. Les matelots chargés des convois ne parviendront à en conduire que deux jusqu'aux canots!

Pourquoi n'y a-t-il de salut que pour la moitié des passagers du *Titanic*? Les bossoirs auraient pu accueillir trente-deux canots au lieu de seize[1]! Pourquoi les femmes et les enfants de troisième classe sont-ils sacrifiés?

Stead se sent envahi par un sentiment de révolte. Noblesse oblige? Allons donc! Tout ceci n'est qu'une grotesque comédie! S'il ne peut mettre en doute la bonne foi d'un certain nombre de gens, comme Guggenheim, par exemple, qui vient de faire son apparition sur le pont en compagnie de son secrétaire particulier, tous deux vêtus d'un habit à queue-de-pie, avec col dur, nœud papillon, manchettes, et haut-de-forme, et décidés à mourir en gentlemen, il ne peut s'empêcher de juger ignoble la mascarade de certains autres: il faut les voir guetter avidement le pont, à tribord, pour s'assurer qu'aucune femme n'est en vue, puis se précipiter dans le canot et s'indigner de la lenteur de la manœuvre. Les barques reçoivent l'ordre, quand elles ne sont pas pleines, de se maintenir à proximité du *Titanic* afin de recueillir, quand le besoin s'en fera sentir, les laissés-pour-compte pour lesquels on prévoit des échelles de corde, accrochées le long du carénage. Mais aucune ne respecte la

---

1. Ce souci d'économie de la White Star Line coûta la vie à 1 480 personnes.

consigne. Chacun pour soi! Stead contemple ce désastre sans parvenir à retrouver cette saine philosophie de la vie qui lui a toujours permis, dans les cas les plus graves, de garder un certain recul vis-à-vis des événements.

Ainsi, pendant que Bedford, Michel, Trevor, Mirella, les deux petits, et tant d'autres piétinent, impuissants, devant une porte irrémédiablement close, la moitié des canots sont déjà à la mer. Stead, tout à son observation passionnée des événements, n'a plus pensé à ses petits amis Navratil. Soudain, il se rend compte que ni Bedford, ni Michel, ni Lolo, ni son bébé de frère, ne se trouvent sur le pont. Or, il devient urgent d'embarquer les enfants, la manœuvre, très lente au départ, s'accélère. Dans une demi-heure, il n'y aura plus une seule embarcation disponible! Aussitôt, il part à leur recherche et se heurte aux Straus qui arpentent le pont d'un pas de promenade, bras dessus, bras dessous, le sourire aux lèvres.

« Comment, Ida, vous êtes encore là! Savez-vous que bientôt, il n'y aura plus de place dans les canots? Mon cher Isidor, à quoi pensez-vous? Mettez vite votre Ida en sécurité! »

Mais Ida se tourne vers Stead et répond sans cesser de sourire :

« Mon cher Stead, vous devriez vous douter que nous n'avons pas vécu quarante années de paix et de bonheur sans jamais nous séparer, ne fût-ce qu'une heure, pour nous quitter au moment fatal!

Nous mourrons comme nous avons vécu : ensemble, et unis pour l'éternité ! »

Stead la regarde avec émotion. Isidor a mis son bras autour de ses épaules et l'embrasse comme au premier jour. Il ne trouve rien à répondre devant cette forme si simple, si naturelle, si héroïque pourtant, d'amour conjugal, et il s'éloigne discrètement. Plus loin, la famille Allison refuse de se laisser séparer. Il y a là M. et Mme Allison, leur petite fille Loraine, qui a dansé la valse avec Lolo, et leur bébé, Travers, porté par la nurse. Mme Allison refuse de quitter son mari et Loraine s'accroche aux jupes de sa mère. Stead regarde ce spectacle d'un œil critique et se promet bien d'intervenir dès qu'il aura retrouvé Lolo et Momon. Il faudrait que Loraine, Lolo et Momon embarquent dans le même canot, cela les distrairait de leur chagrin. Stead parcourt systématiquement les locaux de première classe, puis de seconde, sans les apercevoir. Les Navratil sont introuvables.

14

La séparation

À la rotonde du grand escalier, un bruit confus, provenant de la porte donnant accès à la troisième classe, s'amplifie en rumeur d'émeute. On entend une foule hurler, se bousculer, et des coups sourds retentissent.

Stead doit se rendre à l'évidence : on a interdit aux troisièmes classes l'accès au pont-promenade et aux ponts supérieurs, d'où embarquent les premières et les secondes. La grande majorité des passagers se trouve donc parquée comme un troupeau et vouée à une mort atroce. C'est odieux, insupportable! Il lui faut agir. Et si les Navratil se trouvaient parmi eux? Cela expliquerait leur disparition!

Au moment où Stead atteint la porte d'accès aux troisièmes classes, au pont D, celle-ci s'entrouvre, laissant filtrer le deuxième convoi, une trentaine de femmes et d'enfants guidés par le chef steward de troisième classe, John Hart, vers le pont d'embarquement. Stead, qui a croisé en chemin le premier convoi, regarde anxieusement le petit groupe. Lolo et Momon n'y figurent pas !

Mais les cris prennent soudain une réalité aiguë. Stead distingue une main qui se glisse dans l'entre-bâillement de la porte et, au même moment, un coup de feu éclate. Le sous-officier chargé de garder la porte est soudain submergé par le flot des passagers qui s'échappe de sa prison.

« Comment, l'équipage tire sur les passagers à présent ? »

Effectivement, le commandant en second, Wilde, a fait distribuer des armes à feu à tous les officiers et sous-officiers afin qu'en cas de panique, ils puissent tirer en l'air, ce qui vient de se produire. Mais ce coup d'intimidation a exaspéré la rage des prisonniers.

Les malheureux passagers de troisième classe déferlent par cette porte enfin ouverte. À leur tête, Daniel Buckley. La foule se précipite dans l'escalier de première classe sous les yeux impassibles de la Gloire et de l'Honneur qui, bientôt, n'auront plus pour compagnie que les poissons des grands fonds.

Et, ô joie, derrière Daniel Buckley, il y a Lolo, et Michel, et Bedford portant Momon, et les amis de Michel, Trevor, Olaus et Mirella… Stead se précipite à leur rencontre et manque d'être renversé par la foule. Repoussé d'un côté puis de l'autre, il finit par se trouver face à Bedford.

« Vite, sur le pont-promenade ! s'écrie Stead. La plupart des canots ont déjà été mis à la mer, le temps presse ! »

Daniel Buckley parvient le premier aux embarcations, il arrive au moment où le canot numéro quatre, chargé de femmes de millionnaires, commence à descendre. Lightoller vient d'irriter grandement les passagères en refusant à Jack Thayer, âgé seulement de seize ans, l'accès au canot. John Astor, toujours aussi posément que de coutume, a pris un grand chapeau à fleurs sur la tête d'une dame près de lui, en a coiffé le jeune Jack. Il s'est tourné vers Lightoller.

« Là, il peut y aller ! C'est une fille maintenant ! »
Et il l'a fourré d'autorité dans la barque.

Mais Lightoller, impitoyable, oblige Jack à débarquer et l'embarcation entame sa descente. Profitant de son inattention, Buckley se penche. Le canot est encore tout proche, c'est le moment ou jamais ! Et il saute sous les yeux de Lightoller, prêt à tirer avec son pistolet. Moitié par pitié, moitié par bravade, révoltées par ce qui vient d'arriver au jeune Jack, les passagères le recouvrent d'un châle et regardent délibérément de l'autre côté. C'est ce qui sauve Daniel Buckley.

Cependant, Michel court en tête du groupe avec Lolo. Une idée fixe le dévore, lancinante : son coup de tête va leur coûter la vie à tous les trois ! Vite, vite, mettre les enfants à l'abri. « Seigneur, aidez-nous,

protégez-nous, sauvez mes petits enfants! » Charles porte toujours Momon, bien réveillé mais effaré, Mirella, Olaus et Trevor suivent de près.

Lorsqu'ils parviennent enfin à proximité des premiers bossoirs, à bâbord, ils n'en croient pas leurs yeux : plus un canot en vue, les bossoirs sont tous désespérément vides. Puis Trevor distingue au loin une embarcation qui se balance encore au-dessous du bossoir numéro quatre.

« Vite, là-bas, il y en a encore un!

— Un quoi? » demande Lolo qui s'agrippe toujours à son père.

Michel est bien trop affolé pour répondre à son petit garçon. Tous s'élancent vers le bossoir quatre à bâbord mais se heurtent, à deux mètres du but, à un cercle de matelots qui en barrent l'accès.

« Nous regrettons, cette embarcation est pleine. »

Bedford, Stead et Michel, avec les enfants, s'immobilisent, dans l'attente du prochain canot tandis qu'Olaus entraîne Mirella vers tribord dans l'espoir de mettre sa bien-aimée en sécurité. Mais ils arrivent pour voir descendre la chaloupe treize. Ils se penchent par-dessus le bastingage pour tenter d'apercevoir un visage connu dans le canot qui n'est qu'à trois mètres au-dessous d'eux. Un jeune homme debout au fond du canot lève la tête. Mirella le reconnaît.

« Lawrence! s'écrie-t-elle.

— Mirella! »

Le mouvement de descente s'accélérant, la voix est déjà lointaine. Ici, à l'avant, le niveau de l'eau n'est plus qu'à douze ou treize mètres du pont supérieur, mais les cris de l'équipage couvrent les sons venus d'en bas.

Beesley est désespéré. Une minute auparavant, Murdoch l'a appelé :

« Y a-t-il encore des femmes en attente? »

Lawrence a bien regardé mais n'en a vu aucune car des hommes de troisième classe, espérant réserver des places pour leur famille, avaient devancé les femmes et les enfants et les dissimulaient.

« Alors, sautez dans le canot! » a crié Murdoch en ordonnant la manœuvre de descente.

Lawrence s'est exécuté en toute bonne foi et voilà qu'il aperçoit Mirella!

« Remontez, remontez! hurle-t-il, je veux céder ma place! »

En vain, son canot a déjà touché l'eau.

La dernière embarcation de tribord, la numéro quinze, est maintenant prête à amorcer sa descente. Elle vient d'être prise d'assaut par la foule déchaînée des passagers de troisième classe qui ont reflué de la treize vers la quinze. Les sous-officiers ont sorti leurs armes et tirent en l'air pour faire évacuer les hommes qui se sont embarqués de force; à leur place ils font monter des femmes et des enfants. En une minute, la barque est surchargée, comme les trois ou quatre précédentes, soixante-douze à soixante-quinze personnes au lieu des soixante-cinq prévues.

Très vite, elle disparaît le long de la coque. Soudain, des cris d'épouvante s'élèvent. Du fait de la très forte inclinaison du navire vers l'avant, le canot numéro quinze tombe droit sur le treize qui n'a pas encore réussi à se dégager de son point d'amerrissage. Frénétiquement, les deux hommes chargés de la manœuvre dans le treize tentent de couper les câbles qui les retiennent encore au *Titanic*. Beesley voit avec effroi la grosse masse fondre sur eux. Une seconde encore et ils seront écrasés. Heureusement les câbles cèdent et le canot treize s'écarte enfin du flanc du navire sous la poussée vigoureuse des nombreux bras qui peuvent atteindre la paroi. Un plouf sonore à côté d'eux : le quinze est à flot, à l'endroit même dont ils viennent de s'arracher.

Mirella et Olaus, oubliant de penser à eux-mêmes, penchés au-dessus du parapet au risque de tomber, poussent un soupir de soulagement. Lawrence est sauvé. Ils se regardent. Pour eux, plus aucun espoir de sauvetage. Olaus ouvre les bras à Mirella et l'enlace, puis tous deux s'éloignent lentement, acceptant leur sort. Ils attendront la mort ensemble, comme les vieux Straus.

Il règne maintenant sur le pont une atmosphère de désolation, en dépit de l'orchestre qui continue héroïquement son allègre concert de veillée funèbre. Perdus, on est perdus ! Il n'y aura plus de prochain canot en partance. À tribord comme à bâbord, les bossoirs sont vides ! Pendant quelques minutes, Michel croit devenir fou de douleur et d'horreur. Non seulement il a kidnappé ses propres enfants, mais il les a condamnés à mort. Si, au lieu d'endormir ses craintes dans la fausse sécurité du fumoir pour se régaler des étourdissants discours de Guggenheim, Charles Hays et Widener, il avait gagné avec ses fils le pont d'embarcation tout de suite après la collision, ils auraient embarqué tous trois dans l'une des premières chaloupes! Au lieu de cela, il a rêvé à un avenir prestigieux en compagnie de ces millionnaires, oubliant de s'inquiéter pour ses enfants.

La tête lui tourne, il chancelle, tombe sur un sac de cordage et reste tout tremblant, la tête dans ses mains, en proie à un vertige qu'accentue encore la gîte du bateau qui forme maintenant un angle de près de trente-cinq degrés avec la surface de l'eau.

Lolo n'ose bouger. Le spectacle de son père, abattu à ses pieds, cachant son visage, refusant le dialogue, le bouleverse. Il reste quelques minutes immobile, indécis, puis lentement s'approche de son père et pose la main sur la sienne. Michel sursaute à ce contact inattendu, lève la tête et, l'attirant contre lui, le serre à l'étouffer.

Rassuré, Lolo lui parle à voix basse. Bedford pose Edmond endormi près d'eux, bien calé entre une bouche d'air et plusieurs rouleaux de cordage pour lui éviter une glissade fatale par-dessus bord puis il s'éloigne en quête de nouvelles. Les derniers instants passés par Lolo avec son père ne souffrent aucun témoin.

« Tu sais qui je viens de rencontrer? Le boulanger qui m'avait donné les brioches. Tu te souviens comme tu m'avais grondé! Il a apporté des gros pains sur le pont pour les bateaux de sauvetage et il lui restait un sac plein de gâteaux. Il me l'a donné, il est tout drôle, il chante très fort et ne marche pas droit. Je crois qu'il sent le vin. Tu veux bien que je te donne un gâteau ? »

Navratil commence à se ressaisir. Comment ? Cet enfant de quatre ans est plus lucide, plus courageux que lui ? Tous deux croquent les gâteaux de Joughin et cela les réconforte. Michel se demande comment il a bien pu gronder son petit garçon l'autre jour, alors que le coupable c'est lui.

« Maintenant, notre salle à manger est sous l'eau. Celle d'en bas, je veux dire. Tu trouves pas que c'est drôle ? Les lumières continuent de briller dans l'eau. Je l'ai vu par le trou de la poste quand j'ai perdu Trevor. »

Michel enlace à nouveau son fils, mais différemment cette fois. Avec tendresse. Et une conversation intime, chuchotée, commence. Il le sent si fort et lui a été si faible ! Peu à peu, son courage lui revient. Tout n'est peut-être pas perdu ! Stead et Bedford ont disparu, ils vont trouver une solution pour sauver les enfants. Michel lève les yeux et aperçoit Pritchard qui fait les cent pas devant lui, hagard, les mains derrière le dos, la tête baissée. Navratil a un mouvement de révolte. C'est Trevor le responsable, lui qui a entraîné Lolo dans le piège des troisièmes classes. À cause de lui, les enfants vont mourir. Alors, comme s'il avait entendu sa pensée, Trevor lui adresse un regard si désespéré que Michel ne se sent plus le courage de lui en vouloir. Il a cru bien faire. Ne s'est-il pas occupé fidèlement de Lolo durant tout le voyage? La fatalité s'en est mêlée, voilà tout.

C'est alors que pour la première fois depuis qu'il désespère de sauver les enfants, il repense à Marcelle. Quel sera son désespoir quand elle apprendra leur mort à tous les trois! Survivra-t-elle à sa douleur?

« Trevor, je vous en conjure, courez à la cabine radio et s'il est encore temps, envoyez un télégramme à ma femme, que j'ai abandonnée en lui enlevant nos enfants dont elle avait la garde. Marcelle Navratil, 26, rue de France, Nice. Dites-lui que je lui demande pardon, que notre dernière pensée ira vers elle, que les enfants sont très courageux. Allez vite! Et Dieu vous garde! »

Trevor disparaît dans la nuit, escaladant la pente abrupte du pont incliné vers la mer. Michel sent soudain le froid lui tomber sur les épaules. Momon vient de s'éveiller. Serrés les uns contre les autres, les trois Navratil chuchotent, ils parlent de maman.

Pendant ce temps, Stead et Bedford sont à la recherche du commandant Smith. Le pont aux embarcations, désert cinq minutes plus tôt, se couvre d'une foule silencieuse aux murmures étouffés, qui se maintient comme elle peut sur le pont oblique. Maintenant que les bossoirs sont vides, les passagers de troisième classe affluent lentement. Les derniers arrivés, croyant encore à un salut possible, se penchent au-dessus du parapet dans l'espoir de découvrir les canots de sauvetage restants. Mais la paroi noire et luisante encore de peinture à peine sèche, où se découpe le halo tremblotant de centaines de petites lumières rondes, la plupart très loin au-dessous de l'eau, reste lisse et sans obstacle. Il faut se rendre à l'évidence. Tous les canots sont partis. Et leur regard halluciné se porte vers ces minuscules embarcations qui flottent, toutes proches mais inaccessibles, sur la surface lisse et brillante de la mer à demi gelée.

Certaines semblent surchargées, mais d'autres sont presque vides, on les a bien vues passer, du pont D, avec toutes ces femmes en manteau d'astrakan. Toute révolte est inutile. Mais chacun, en son for intérieur, espère encore un miracle. Cela permet de tenir le choc sans affolement. D'autres passagers ont compris depuis longtemps qu'ils allaient mourir. Ils se recueillent et regardent fixement devant eux. Les enfants eux-mêmes[1] se taisent.

Aucun officier n'est en vue. Stead et Bedford se dirigent vers la passerelle : elle est déserte. Soudain, un bruit de voix leur parvient. Tous les hommes d'équipage sont rassemblés sur la superstructure, au-dessus du quartier des officiers, à quelques mètres de là, et travaillent fébrilement à Dieu sait quoi. Stead fait signe à Bedford d'attendre et grimpe auprès d'eux.

Deux minutes plus tard, il se penche vers Charles, la figure rayonnante :

---

1. Parmi les victimes du *Titanic*, il y eut soixante-dix-sept enfants dont soixante-seize en troisième classe.

« Tout n'est pas perdu pour les petits. Ils sont en train de détacher des canots de toile, quatre Engelhardt, je crois, de quarante neuf places chacun! »

Il disparaît aussitôt, puis revient, moins sûr de lui.

« Ces canots sont sacrément bien amarrés, impossible de les désarrimer! »

Bedford hésite. Va-t-il prévenir Michel? Mais à quoi bon lui donner un faux espoir! Il vaut mieux attendre que le premier canot soit détaché. Les minutes passent, infiniment longues. Bedford observe, non loin de lui, l'escalier aux trois quarts englouti qui s'enfonce vers l'intérieur du navire. En se penchant, il distingue les étages. Il préfère ne pas les compter. Pourquoi se torturer inutilement?

Enfin la tête de Stead réapparaît, rayonnante.

« Ça y est! Le canot C est détaché et le D est en bonne voie. Courez prévenir Michel. Et la petite Mirella, si vous la retrouvez! »

Trevor est arrivé trop tard à la cabine radio. L'émetteur vient de cesser de fonctionner. Panne de batterie. On reçoit encore très faiblement les messages. Du reste, toutes les lumières, sur le titan en détresse, donnent des signes de fatigue. Tant que les deux opérateurs radio se sont sentis reliés au monde extérieur, que les messages chaleureux de Cottam, le radio du *Carpathia*, ont pu être captés, ils espéraient encore un coup de théâtre. Aussi longtemps que Phillips a pu émettre, il a communiqué au bateau sauveteur l'évolution du drame. À une heure six : « Préparez vos canots de sauvetage, nous coulons de l'avant! » À une heure dix :

« Nous coulons rapidement de l'avant! » À une heure trente cinq : « La salle des machines est sous l'eau! » Phillips a expédié son dernier message à une heure cinquante : « Venez aussi vite que vous pouvez! Chaudières presque noyées! »

Maintenant, tout est fini, le télégramme pour Marcelle Navratil ne partira pas, les enfants et Mirella périront... Soudain, Trevor remarque, là-bas, sur le pont des embarcations, une agitation inattendue. Mais oui, c'est bien cela, on est en train de suspendre un nouveau canot au bossoir numéro quatre. Mais alors, Lolo et Momon ont encore une chance!

Accroché à la balustrade, Trevor attend ses deux camarades, Phillips et Bride, qui font leurs préparatifs pour affronter l'ultime étape de leur voyage. De son poste d'observation, il a une vue d'ensemble sur le titan naufragé. Un bon tiers de l'avant, totalement immergé, pique du nez dans l'océan, profond, à cet endroit-là, de trois mille huit cent soixante-dix mètres, tandis que l'arrière s'élève toujours plus haut au-dessus de la surface de l'océan, comme le paquebot entrevu en rêve par Rosalind. L'eau monte, insidieuse, et dans moins de dix minutes, tout aussi invraisemblable que cela paraisse, elle aura envahi la cabine radio. C'est un spectacle totalement irréel que ce pont de navire incliné vers la mer immobile, où se mêlent les reflets des fusées tirées à intervalles réguliers par Boxhall (Lowe a été envoyé sur le canot quatorze) et le scintillement de milliers d'étoiles qui tracent dans l'eau de petites lignes ondulées.

Trevor lève la tête et distingue à sa grande stupéfaction de grandes traînées dans le ciel : les étoiles filantes se succèdent presque sans interruption, comme si la galaxie pleurait l'engloutissement du *Titanic*. Il reste là durant quelques instants, la gorge nouée d'émotion puis, s'arrachant à ce spectacle effrayant, rejoint la cabine.

Trevor trouve Bride en train de passer ses bottes à Phillips, toujours en bras de chemise. Puis Bride remplace une dernière fois son héroïque compagnon à la table d'écoute, essayant de capter les voix lointaines qui tentent de communiquer avec le *Titanic* tandis que Trevor sort les gilets de sauvetage de leur coffre. Phillips rassemble rapidement quelques papiers, met un chandail, un manteau et reprend son poste. Bride boucle son gilet avec l'aide de Trevor quand la porte s'ouvre toute grande et la silhouette du capitaine Smith se découpe en ombre chinoise sur l'ouverture, toute de travers, comme dans un cauchemar.

« Mes enfants, vous avez fait votre devoir. Maintenant, songez à vous-même! Sauve qui peut! »

Et il disparaît dans l'ombre comme il est venu. Mais Phillips refuse de quitter la table d'écoute tant que l'écho du monde extérieur lui parvient encore, en ondes imperceptibles. Trevor et Bride, oppressés, écoutent la triste mort des sons. Enfin, le silence se fait. La plainte nostalgique des violons qui jouent un thème des *Contes d'Hoffmann* prend le relais. Subjugués, les deux amis sortent sur le pont et s'avancent ou plutôt glissent vers le parapet.

Cette musique leur semble provenir de l'au-delà, comme une invite à une autre vie.

Tout à coup, dans la cabine, Phillips hurle. Un soutier, qui s'est dissimulé derrière un mur de la cabine, l'a attaqué par-derrière et tente de lui dérober son gilet. Trevor et Bride reviennent sur leurs pas et ont tôt fait de terrasser l'assaillant.

La gîte, sur le pont, s'accentue. Il faut se séparer, quitter la minuscule cabine qui a permis de garder le contact avec tant d'amis, à travers l'océan, et qui aura sauvé tant de vies, avec l'arrivée du *Carpathia*. Mais sur le sol, allongé, les bras bizarrement étendus, le corps inanimé de l'inconnu endeuille déjà la pièce. Phillips et Bride échangent une accolade et se séparent. Le premier gagne la poupe qui continue de s'élever vers le ciel, le second, accompagné de Trevor, rejoint les officiers qui s'efforcent toujours de libérer les canots A et B arrimés sur le toit de leur quartier. Ils ne doivent plus se revoir.

Lorsque Bedford vient annoncer la bonne nouvelle à Navratil, il a du mal à le retrouver tant la foule est dense autour de lui. Puis il l'avise, toujours assis sur son sac de cordage, tenant ses fils dans ses bras et leur parlant doucement à l'oreille. Il semble que pour eux, plus rien d'autre n'a d'importance. Ils paraissent totalement indifférents à l'agitation ambiante. Pourtant le temps presse.

« Les enfants sont sauvés! On a préparé de nouveaux canots! Lolo et Momon vont embarquer dans le second, le D, qui descendra à la mer dans quelques minutes. »

Michel ne comprend pas tout de suite, il ne peut pas croire qu'il a de nouveau le droit d'espérer. Mais Lolo voit clairement que son père ne les suivra pas. Il s'adresse à Bedford :

« Charles, papa doit venir avec nous! Je ne veux pas partir sans lui!

— Ne t'inquiète pas, petit capitaine, intervient Michel, je te rejoindrai plus tard. Je prendrai le canot suivant! »

Voilà un mensonge que Michel peut proférer sans honte. Il lui semble que son cœur va éclater de joie. Sauvés, ils sont sauvés!

Il se lève d'un bond et se dirige vers le bossoir numéro quatre où l'on commence à suspendre le canot D. Stead, quant à lui, suit attentivement les préparatifs du C tout en surveillant du coin de l'œil Ismay, dont la patience est visiblement à bout. Après avoir été écarté brutalement par Lowe de la manœuvre d'embarcation qu'il gênait, le P.-D.G. de la White Star Line a assisté, muet, au départ des chaloupes successives. Tout, dans son attitude, exprime sa résolution de monter à bord du prochain canot. Mais il manque bien ne pas partir. Dès que le C est amené sur le bossoir numéro un d'où on va le faire descendre, une foule hurlante se précipite. Le commissaire en chef McElroy doit tirer plusieurs fois en l'air et des passagers prêter main-forte à l'équipage pour expulser de l'Engelhardt les hommes qui l'ont pris d'assaut. Au moment où le C commence à descendre, Ismay s'avance avec détermination et saute dedans, comme l'a fait un peu plus tôt Daniel Buckley. Murdoch le laisse faire.

Martin Callagher qui a guidé jusque-là un petit convoi de femmes et d'enfants de troisième classe les aide à embarquer. Mais l'une d'elles estime mal la distance qui la sépare du canot et y tombe la tête la première. La suivante, sans doute impressionnée, fait pire encore, elle trébuche et disparaît entre le canot et la paroi. Un hurlement d'horreur accompagne sa chute. Martin, avec un réflexe d'une rapidité peu commune, la rattrape par un pied et, aidé par l'un des matelots embarqués sur le C, l'installe dans le bateau.

Lightoller, de son côté, s'évertue à accélérer les préparatifs des radeaux restants. Mais on ne parvient pas à détacher les Engelhardt A et B. L'officier surveille attentivement la montée de l'eau. Il reste au *Titanic* trente-cinq minutes à vivre. Dans le meilleur des cas. Heureusement, le D est pratiquement prêt, on va pouvoir le charger dans cinq minutes.

Au même moment, la voix du capitaine Smith retentit par les énormes porte-voix, qu'on doit certainement entendre à une centaine de mètres à la ronde :

« Prière aux embarcations qui n'ont pas fait le plein de venir accoster au bas des échelles de corde! »

L'ordre est répété à plusieurs reprises, des grappes humaines s'accrochent aux échelles et descendent en direction de la mer mais aucun canot ne se manifeste.

Soudain, le *Titanic* s'incline brutalement vers

tribord. Les gens roulent par terre jusqu'au parapet. Les passagers sur les échelles de corde lâchent
prise et tombent à la mer. La voix de Wilde retentit,
impérieuse :

« Tout le monde à bâbord pour redresser le navire ! Tout le monde à bâbord ! »

Et la foule, se relevant péniblement, gagne hâti-
vement bâbord, en nombre tel que l'immense vaisseau perd de la bande et se redresse légèrement.

Le canot D est plein. Mirella, malgré l'insistance
d'Olaus pour qu'elle prenne ce canot inespéré,
vient de céder sa place à une femme accompagnée
de deux enfants. Tous deux s'éloignent et attendent la fin, enlacés.

Il est grand temps de se séparer. Michel dit au
revoir à Momon qui l'embrasse tranquillement. Le
petit est donné comme un paquet et reçu par une
jeune fille. C'est seulement en se voyant isolé de
son père et de son frère parmi des inconnus qu'il
se met à pleurer.

À cet instant déchirant, devant la séparation inéluctable, Lolo perd tout courage. Il refuse de quitter
Michel et se cramponne à son cou. Au même instant, Stead surgit, haletant, portant le petit Travers
Allison qui sanglote. Il n'a pas réussi à arracher la
petite Loraine aux bras de sa mère. Il est suivi de la
nurse. Il n'a pas été possible de décider Mme Allison
à quitter son mari ni d'obtenir qu'elle se sépare de
Loraine qui s'accrochait frénétiquement à elle[1].

---

1. Loraine sera le seul enfant de première classe à n'avoir pas survécu.

Lightoller fait embarquer la nurse et le bébé. La surcharge du petit canot de toile est énorme.

Michel pose son petit garçon sur un sac de cordages et s'agenouille pour être à sa hauteur.

« Lolo, je vais te confier un message pour maman que tu ne devras jamais oublier. Je l'aime et lui demande de me pardonner le mal que je lui ai fait. Va, mon Lolo, et n'oublie pas que tu dois veiller sur ton petit frère! Tu es l'aîné, tu dois prendre ma place! Surtout, rappelle-toi ton nom : Michel Navratil, comme moi. Et puis, ne t'inquiète pas, nous nous reverrons sur le *Carpathia*, je prendrai le prochain canot! »

Le visage de Lolo s'illumine : papa prendra le prochain canot! En attendant c'est lui le chef de famille, Momon a besoin de lui! Il accepte donc la séparation sans trop de peine. Michel, bouleversé, essaie de retenir ses larmes. Il a l'impression d'avoir une montagne sur la poitrine, que son cœur va éclater. Lorsqu'il se décide enfin à faire embarquer Lolo, ses yeux s'agrandissent d'horreur : la barque est en train de descendre, elle est déjà deux mètres plus bas. Michel enlève son fils dans ses bras, le pose sur la balustrade et hésite, en proie à la panique. Des mains secourables, en bas, se tendent vers l'enfant. Il doit littéralement le lancer par-dessus bord. Les mains anonymes et bienveillantes se referment sur lui avec précaution et le canot termine sa descente dans l'abysse glacial.

15

Les dernières minutes du *Titanic*

L'insubmersible ville flottante du *Titanic* que « même Dieu ne pouvait couler » agonise. La proue et plus du tiers avant du transatlantique sont noyés, la poupe et une partie de l'arrière pointent hors de l'eau. La gîte à bâbord ne cesse de s'accentuer. Il n'y a plus, à bord, de distinction de classe. L'équipage et les passagers de toute origine sont égaux face à la mort imminente. Chauffeurs, stewards, cuisiniers, soutiers, passagers riches et pauvres, hommes, femmes, enfants, tous s'agrippent au bastingage et tentent de résister à l'implacable pesanteur qui les pousse vers l'abîme : un angle de près de quarante degrés précipite à l'eau tous ceux dont les forces s'épuisent à se cramponner au bastingage, aux mâts, à tout objet autrefois vertical. Sentant le danger croître de façon accélérée, certains hésitent à anticiper le grand saut dans la mer hostile. La peur, la grande peur de la mort effroyable dans l'eau noire et glacée. Et celle, plus terrible encore pour l'esprit, de l'engloutissement dans l'abysse.

Un immense navire, réputé insubmersible, dont c'est le voyage inaugural, qui coule sous leurs pieds, n'est-ce pas l'apocalypse, le malheur qui fond sur eux au moment du bonheur le plus serein? Toutes les espérances d'une vie nouvelle dans un monde nouveau soudain anéanties? Chacun voit défiler sa vie comme un film accéléré et, pour de nombreux naufragés, le remords s'en mêle. Cette fatalité qui leur a fait choisir le grand voyage prestigieux à bord du plus beau bateau du monde, ne l'ont-ils pas provoquée et méritée? Qui n'a rien à se reprocher? Comment ne pas craindre, même si l'on a conscience de son absurdité, que ce naufrage ne vienne comme la punition des fautes commises? La mère de Rosalind pleure amèrement. Sa petite fille avait raison, que ne l'a-t-elle écoutée!

« Maintenant, chacun pour soi », a dit le capitaine Smith à son équipage. Fort heureusement, les passagers irrémédiablement abandonnés sur le *Titanic* n'ont pas entendu. Il en serait résulté une bataille généralisée pour la reconquête des gilets de sauvetage déjà distribués ou pour l'accès aux deux derniers canots de toile, que l'on ne parvient toujours pas à détacher de leur support.

Certes on peut constater, çà et là, quelques cas

de panique, des passagers, rendus fous par l'enfermement en troisième classe ou par l'insuffisance dramatique des canots de sauvetage, qui en viennent aux mains et que l'équipage doit calmer. Mais la majorité des gens acceptent leur destin et envisagent la mort calmement. Parmi les plus braves, il y a les mécaniciens et les chauffeurs des compartiments centraux. Les machines, les chaudières sont noyées. Les malheureux qui ont travaillé jusqu'au dernier moment à maintenir la pression nécessaire à la production d'électricité et au fonctionnement des pompes connaissent souvent une mort affreuse car les cloisons cèdent les unes après les autres dans les chaufferies, noyant les hommes et provoquant l'explosion des chaudières dont on n'a pu éteindre les feux à temps. Que de héros anonymes sont restés à leur poste jusqu'au bout en sachant parfaitement que lorsque leur tâche serait finie, toutes les chaloupes seraient parties!

Michel, cramponné au bastingage, regarde le canot de fortune où ses enfants ont trouvé refuge s'enfoncer rapidement vers la mer noire. Le petit engin surchargé descend bravement et sans anicroche jusqu'à la surface de l'eau, si terriblement proche maintenant. Si peu d'espace le sépare de ses fils qu'il n'a jamais autant chéris qu'à cette minute tragique! Il regarde Lolo et Momon qui agitent leurs bras dans sa direction, il les entend l'appeler d'un ton de détresse. Tout le courage de son aîné ne suffirait pas à affronter une aussi terrible réalité. Le poids de cette tragédie est bien trop immense pour un petit enfant de moins de quatre ans. Et pour l'autre aussi, le bébé, qui doit bien sentir qu'il se passe quelque chose de grave. C'est cela qui fait pleurer Michel et non un apitoiement sur lui-même. Il dévore ses fils des yeux en sachant qu'il les a quittés pour toujours. Il distingue encore clairement leurs petits visages désespérés mais bientôt des larmes lui troublent la vue.

« Papa! Papa! Viens! Saute! Papa! Ne nous laisse pas tout seuls! » crie Lolo.

La petite voix sanglotante de Momon se joint à la sienne.

« Non! C'est trop insupportable. Lolo et Momon ne peuvent se passer de moi! »

Sans plus de réflexion, Michel escalade le bastingage, enjambe le rebord et prend son élan. Au même moment, il se sent retenu, agrippé, soulevé par quatre fortes mains et il se retrouve debout sur le pont.

« Eh bien, nous arrivons à temps! »

Stead et Charles l'entourent. Michel, tout à sa souffrance, s'élance de nouveau vers le bastingage. Stead et Bedford l'immobilisent.

« Avez-vous bien réfléchi aux conséquences de votre geste, Michel? lui dit Bedford. Vous rendez-vous compte que le canot D est déjà surchargé et ne peut pas vous recueillir? Tenez-vous à mourir dans la glace sous les yeux de vos enfants? »

Michel, qui, après tout, n'a que vingt-deux ans, est secoué de sanglots. Il ne parvient pas à reprendre haleine. Toute l'expérience acquise durant les six dernières années de sa vie défile devant lui : l'émigration de Presbourg à Nice, les deux années de travail comme ouvrier tailleur, la rencontre de Marcelle et leur mariage à Londres, leur immense bonheur de jeunes mariés, l'acquisition de la boutique rue de France, la naissance des deux enfants, le succès de son commerce auprès de la riche clientèle de la saison d'hiver, l'infidélité de Marcelle avec le parrain d'Edmond, la blessure d'orgueil et le chagrin d'amour puis le laisser-aller et la faillite, et enfin la fuite vers l'Amérique pour mettre les enfants à l'abri et tout recommencer. A-t-il mérité un sort aussi cruel ?

Michel est envahi par un sentiment de révolte. Non, il n'a pas mérité de mourir. Et tous ses projets pour assurer un bel avenir à ses petits enfants, arrachés à leur mère pour leur bien ? Si Marcelle les reprend, quelle mauvaise éducation elle leur donnera ! Tout ce que Michel a voulu éviter aux enfants, à tort ou à raison, se produira inévitablement. Et si Marcelle ne les retrouve pas, que deviendront-ils ?

Durant ce bref moment de faiblesse, tout son être est révulsé à l'idée de la mort. Michel veut vivre, rejoindre ses enfants. En proie à un malaise, il chancelle et tombe, roulant sur lui-même le long de la pente. L'univers chavire autour de lui. Le niveau de l'eau approche, tant mieux ! Ainsi il pourra nager jusqu'au canot D. Mais au dernier moment des mains compatissantes le retiennent. Son supplice est prolongé.

Michel se relève, s'accroche à nouveau au bastingage et scrute la mer toute proche. Les petits points lumineux des chaloupes se sont éloignés. Le canot D ne se distingue plus des autres. Le jeune homme escalade la pente vers la poupe pour y retrouver ses amis. Bedford, comprenant son désespoir, lui donne l'accolade. Michel lui est reconnaissant de cet élan d'affection et trouve ainsi la force de se ressaisir. Furieux soudain de sa pusillanimité, il se redresse et remercie son ami.

Charles, pour sa part, ne laisse aucune famille. La grandeur, la beauté de cette agonie entre d'étincelants blocs de glace, d'une blancheur de Voie lactée maintenant qu'ils sont tout proches, l'infini de la voûte céleste l'étourdissent légèrement. Il se sentirait même euphorique s'il n'y avait pas l'injustice du sort condamnant à mort tant d'innocents, victimes de l'orgueil humain, des intérêts des grandes entreprises et en particulier de la White Star Line et de son président, Ismay. À ce propos, où se cache ce dernier? A-t-il réussi à embarquer?

À deux heures dix, les dernières équipes techniques refluent sur le pont. La plupart des ouvriers survivants ne possèdent pas de gilet. Outre le fait que M. Astor en a éventré un pour montrer à Madeline ce qu'il y avait dedans, une partie d'entre eux est restée dans les chambres inondées. Tous se regroupent par corps de métier, parce qu'ils n'ont eu ni le temps ni l'occasion de lier connaissance avec les autres. Certains chauffeurs et mécaniciens n'ont pas eu le temps de s'habiller chaudement et passent ainsi d'une température de quarante-cinq degrés près des chaudières à celle de moins deux sur le pont, vêtus seulement d'un pantalon et d'un maillot de corps trempé de sueur.

Pourtant ils trouvent encore le courage de plaisanter entre eux de l'ironie de la situation.

Le personnel des restaurants par exemple, français pour la plupart, fume et se partage quelques bonnes bouteilles récupérées avant l'évacuation des cuisines. Les vestes blanches et les tabliers restent visibles sous une couverture ou un vêtement passé au dernier moment. Parmi les femmes de chambre, regroupées un peu plus loin avec les stewards, la mère de Rosalind pense au paquebot rêvé par sa fille. Le *Titanic* lui aussi se scindera-t-il en deux avant de sombrer?

Des membres d'équipage décident de sauter à la mer pour nager jusqu'aux canots. C'est le cas par exemple du lampiste Samuel Hemming qui a travaillé courageusement à la mise à l'eau des embarcations. Sa tentative est couronnée de succès : il est recueilli par le canot numéro quatre. Frédéric Hoyt, un passager de deuxième classe, saute à son tour. Sa femme a embarqué dans le D, comme Lolo et Momon. Frédéric nage jusqu'au canot où il est repêché et prend les rames afin de ne pas mourir de froid. Michel, retenu par ses deux meilleurs amis qui croyaient bien faire, n'a pas cette chance.

Stead l'a rejoint et reste accroché au bastingage aux côtés de son jeune ami, comme il l'a fait quelques heures plus tôt quand tous deux guettaient les icebergs et attendaient l'impact fatal. Ils se taisent. Stead se demande ce qui l'a poussé à embarquer sur un bateau dont il savait pertinemment qu'il sombrerait. Il n'a pas été guidé par une pulsion suicidaire, bien au contraire. À aucun moment il n'a éprouvé le désir de mourir.

Simplement, son instinct de journaliste a prévalu. Il l'a prévenu qu'il y aurait un naufrage, Stead se devait d'y assister, un point c'est tout. Il acceptait calmement les conséquences de cette décision. Si une possibilité d'échapper à la mort sans prendre la place d'une femme ou d'un enfant s'était présentée, il aurait usé de toute son énergie pour la saisir.

Maintenant, il est parfaitement résigné à son sort, mais pas à celui de la plupart de ceux qui l'entourent. Avec amertume, il regarde autour de lui. Des familles entières de trois, cinq, huit enfants étroitement groupés autour de leurs parents, pauvres grappes humaines cramponnées au parapet, attendent la mort. Les pères et les mères serrent les plus petits d'un bras et, de l'autre, s'accrochent à la balustrade pour ne pas glisser le long de la pente fatale. Les plus grands enfants sont agrippés à la rampe parfois plus haute qu'eux. Certains pleurent silencieusement, presque étouffés par la terreur. D'autres, au contraire, semblent étonnamment calmes, sereins.

Stead pousse du coude Michel et lui montre du doigt ces innombrables scènes muettes. Un silence magique règne sous la magnifique nuit. Des myriades d'étoiles clignent de l'œil à tous ceux qui, enfants, adolescents, adultes, sans désespérance, en silence, se préparent à mourir dans la paix et semblent leur dire : « Ayez confiance, vous serez bientôt délivrés. Vos parents, vos amis décédés vous attendent dans un monde plus beau et plus juste, ils vous accueilleront ! »

Mais pour ceux qui, au contraire, des femmes et

leurs enfants, des pères de famille, des célibataires de tous âges, expriment leur terreur muette devant la mort, personne, oh! mais personne ne peut rien…

Michel pense maintenant que si la justice divine existe, il reçoit là un juste châtiment de sa faute. Quelles que soient les bonnes raisons pour lesquelles il a arraché les enfants à leur mère, il est en train d'expier leur rapt. Et s'il souffre toujours plus vivement dans sa chair de la séparation, il éprouve un sentiment de bonheur et de paix, sachant Lolo et Momon en sécurité. La mer est d'huile, les petits n'auront pas froid avec leurs couches superposées de vêtements, les femmes prendront soin d'eux et le *Carpathia*, en route vers les rescapés, les recueillera avant le lever du jour.

Soudain Michel s'aperçoit avec stupéfaction qu'il accepte enfin sa mort prochaine. Il se retourne, éprouvant le besoin de s'exprimer. Stead a disparu tandis que Charles semble regarder fixement en direction de la passerelle où l'on continue de se battre contre l'arrimage des canots A et B. Alors Michel tourne résolument le dos à la mer, s'efforçant de ne plus penser au petit canot de toile, maintenant trop éloigné du navire en perdition pour que l'on puisse y distinguer des visages, ni au chagrin de Lolo et Edmond, ni à leur solitude et il entraîne Charles en direction du fumoir.

Sept minutes seulement se sont écoulées depuis que le canot D a touché la mer. Dans des moments d'exception comme celui-ci, le temps vécu semble se figer dans l'instant. On dirait qu'il accueille infiniment plus d'événements simultanés que d'ordinaire. Chacun, à bord du *Titanic*, éprouve ce même sentiment. Pourtant le temps réel va son cours. La gîte s'est accentuée et c'est en glissant sur la pente comme sur un toboggan que Bedford et Navratil parviennent au fumoir que le niveau de l'eau a presque rejoint.

Michel songe alors qu'il a omis de confier à Lolo son passeport (celui de Navratil, pas de Hoffmann) qui aurait permis d'identifier ses fils. Fugitivement, Michel se permet alors d'imaginer une nouvelle issue au drame, plus conforme à ses vœux profonds : les enfants, supposés orphelins, seront adoptés par une famille américaine et les projets que Michel a conçus pour eux pourront alors se réaliser... Mais le désespoir de leur mère si elle les perd pour toujours sans connaître leur sort? Et le traumatisme imposé à ces pauvres petits, devenus doublement orphelins! Michel chasse aussitôt une telle hypothèse de son esprit. Marcelle a perçu son message, il en a la certitude. Elle saura retrouver les enfants et ce sera pour eux un moindre mal.

Deux minutes plus tard, la gîte du navire s'est terriblement accentuée. À l'arrière, le gouvernail et les hélices émergent. Tout près du fumoir, l'orchestre joue toujours. Chacun s'est calé le mieux possible, mais le bassiste Fred Clarke a le plus grand mal à retenir son instrument qui s'obstine à glisser le long de la pente. Il finit par le saisir à bout de bras et d'un coup sec plante la pointe dans le plancher. La contrebasse résiste à la violence du traitement et

Clarke peut continuer à jouer. Michel observe que Roger Bricoux et son compatriote Georges Krins, qui n'ont pas quarante ans à eux deux, rient et plaisantent comme s'ils se trouvaient encore au casino de Monte-Carlo. Soudain, Bricoux l'aperçoit et lui fait un petit signe de tête interrogateur. Michel fait signe que oui, les enfants sont sauvés.

Au fumoir, encore à sec, où Stead l'a précédé, Michel retrouve le groupe avec lequel il s'est entretenu deux heures auparavant. Stead est assis de guingois dans un large fauteuil coincé contre une paroi et fume voluptueusement un gros havane. Charles Hays et Ben Guggenheim sont occupés à boire gravement au goulot d'une bouteille de champagne qui circule à la ronde. D'autres attendent d'être ouvertes. Harry Widener est parti à l'office dans l'espoir d'en rapporter une caisse, mais il revient les mains vides. L'office est inondé.

La conversation se prolonge encore cinq minutes. Michel a remarqué que Stead et la plupart des autres fumeurs ont cédé leur gilet à des employées. Il se demande s'il ne va pas suivre leur exemple quand le *Titanic* s'incline brutalement. Tout le monde glisse le long de la pente et va rouler sur les fauteuils amoncelés en bas près de Stead. Seul l'ingénieur Andrews, qui est assis sur une table fixée au sol, immobile, au fond du fumoir, ne tombe pas. Il faut se relever, gagner la porte avec difficulté et sortir. Bedford reste en arrière et demande à Andrews s'il ne les accompagne pas, mais ce dernier, qui ne porte pas de gilet de sauvetage, contemple fixement sans répondre les petites tables d'acajou avec leurs lampes aux abat-jour roses, les tapis verts des tables de jeu. Puis son regard se pose sur un panneau peint de la cloison qui représente l'arrivée dans le Nouveau Monde. Andrews mourra englouti dans son navire insubmersible. Sa décision est irrémédiable.

Michel attend ses amis à l'extérieur. Charles le rejoint. Stead lui emboîte le pas mais fait soudain demi-tour, sans prendre congé. Il revient au fumoir, ramasse une bouteille de champagne, l'ouvre, se cale confortablement dans un coin et attend la fin, non loin de l'ingénieur Andrews, tout en dégustant la liqueur de mousse à petites gorgées gourmettes.

La salle à manger du pont C, un peu plus loin, est sous l'eau. Charles et Michel voient surnager pêle-mêle fauteuils, tables, plateaux, chaises ; ils peuvent entendre la vaisselle cliqueter dans les armoires, là où l'eau n'a pas encore pénétré. Ce spectacle insolite les arrête un instant, puis ils entreprennent l'escalade du pont en direction de la véranda où ils se joignent à un petit groupe de passagers bien arrimés, contemplant un spectacle inattendu.

Par une fenêtre ouvrant sur bâbord, non loin d'eux, Joughin, le jovial boulanger, est occupé à une besogne pour le moins insolite. Il envoie par-dessus bord, les uns après les autres, avec méthode, tous les fauteuils en rotin et les fauteuils transatlantiques qui lui tombent sous la main. En même temps, il chante à tue-tête d'une voix avinée des chansons bien de chez lui comme *Le Temps des cerises* ou *Le*

Petit Vin blanc, s'interrompant chaque fois qu'un fauteuil atteint l'eau pour hurler un « plouf » sonore. Après quoi il éclate de rire, pleinement satisfait, et reprend sa chanson jusqu'au fauteuil suivant. Il est deux heures quinze. Les lumières du *Titanic* faiblissent, prenant une teinte mordorée.

L'orchestre s'interrompt un instant et, après un court silence, l'hymne *Autumn* retentit, solennel et superbe, prélude à l'engloutissement, montant comme une prière vers le firmament.

À partir de là, les événements se précipitent. L'avant du vaisseau plonge très rapidement ; en trois minutes, l'arrière s'élève en l'air, par un effet de bascule. Michel sent que tout espoir n'est pas perdu et qu'il se battra jusqu'au bout pour survivre, même si la mort ne lui fait plus peur. Les canots A et B sont tombés à la mer, il les a vus de ses propres yeux. Il entraîne Charles à sa suite et tous deux parviennent au sommet de la poupe au moment où le *Titanic* s'immobilise provisoirement à soixante-cinq ou soixante-dix degrés. Là, ils retrouvent Otto Schmidt, l'intellectuel tchèque, l'aviateur Pierre Maréchal et Joughin, coincé contre le parapet, qui braille ses chansons à boire, une bouteille de whisky dans chaque main. Les passagers réfugiés sur la poupe se trouvent subitement surélevés à soixante-quinze mètres au-dessus du niveau de la mer. La plupart d'entre eux tombent dans l'eau en grappes compactes et sont tués sur le coup. Les passagers les plus agiles, grimpés sur les haubans ou accrochés au bastingage de la poupe, tiennent bon. Michel et Charles sont parmi eux.

Les officiers et les matelots qui se sont acharnés à dégager les deux derniers Engelhardt viennent seulement de réussir à les détacher. Le canot B, encore vide, tombe à la mer au moment où le *Titanic* commence à basculer et amerrit par malheur la coque en l'air. Quant au A, les hommes d'équipage ont l'heureuse inspiration d'y prendre place juste après l'avoir détaché, si bien qu'il atteindra le niveau de l'eau sans aucun dommage pour personne, tout naturellement, au moment de l'engloutissement du bateau.

À deux heures dix-huit, un craquement effroyable se fait entendre. La traction exercée par le poids de l'avant saturé d'eau sur l'armature du bateau a raison d'elle et comme la petite Rosalind l'avait prédit, le navire se brise en deux, vomissant des milliers d'objets qui s'éparpillent sur l'eau avant de sombrer. Les fauteuils de rotin et les transats flottent, Joughin aurait pu s'épargner la peine d'en jeter un grand nombre par-dessus bord. Comble de l'horreur, la chute de la deuxième cheminée, dans une gerbe d'étincelles, écrase sous ses débris une trentaine de personnes en train de s'éloigner du vaisseau à la nage. Elle projette des chaloupes à une trentaine de mètres du *Titanic*, les sauvant de l'engloutissement, mais noyant à moitié la A. Les Straus, serrés l'un contre l'autre juste au-dessous de la cheminée, ont attendu la fin en priant. Ils sont tués instantanément. Du fait de la cassure du paquebot, les chaudières du centre se trouvent propulsées dans la mer où elles implosent, dégageant d'immenses jets de vapeur, tuant sur le coup tous les naufragés que la fracture du bateau a précipités dans l'océan à cet endroit.

Certains des passagers, ceux en particulier qui se sont réunis dans la salle à manger de troisième classe pour une veillée de prière à l'approche de la mort, ont préféré mourir à l'intérieur du bateau et sont engloutis avec l'épave avant.

Quelques secondes plus tôt, Bride, Phillips, Trevor, Mirella, Abelseth, Lightoller, Callagher, Archibald Gracie, Jack Thayer, que Lightoller avait refoulé du canot où John Astor l'avait fait embarquer, son ami Milton Long et des centaines de voyageurs ont sauté à la mer qui n'est plus qu'à quelques mètres d'eux. Le colonel Archibald Gracie est balayé par une lame et englouti assez profondément dans l'eau. Il nage et refait surface, aperçoit le canot B retourné, s'y hisse et voit émerger Jack Thayer à quelques mètres de là. Il l'aide à monter près de lui. La cheminée n'a manqué le jeune homme que de quelques mètres, le phénomène d'aspiration provoqué par sa chute l'a entraîné vers le fond et il a dû déployer une énergie extraordinaire pour refaire providentiellement surface près du canot B. Son ami Milton Long, qui a sauté avec lui, n'a pas reparu.

L'officier Lightoller a failli être aspiré par un appel d'air dans une des grandes bouches d'aération du *Titanic*, mais, heureusement pour lui, elle était grillagée. Il est resté plaqué contre elle pendant une minute. Puis, le phénomène inverse s'est produit ; un violent souffle l'a projeté à la surface à côté du canot B auquel il s'est accroché au moment où ce dernier était propulsé cinquante mètres plus loin. Lightoller a grimpé le premier sur l'Engelhardt retourné. Bride, lui, est tombé si près du B qu'en refaisant surface, il s'est trouvé coincé sous l'embarcation. Il lui a fallu déployer une énorme énergie pour se dégager.

Mirella et Olaus ont sauté en se tenant la main. La brutalité du contact avec l'océan les prend de court si bien qu'ils se lâchent. Olaus sent soudain des mains qui lui agrippent le cou à l'étouffer. Il se dégage violemment, mais la pauvre créature qui s'accroche à lui n'a pas de gilet et est sur le point de couler. Abelseth tente de la soutenir – c'est une jeune femme inconnue –, mais elle s'obstine à lui serrer le cou. Il doit l'abandonner sous peine de couler avec elle. Il nage vigoureusement jusqu'au canot B où Phillips et Callagher ont également rejoint Gracie et Thayer. On le tire à bord où il retrouve Trevor en train de hisser Mirella dans la barque. Otto Schmidt vient tout juste de couler sous ses yeux, terrassé par une congestion. La jeune fille, épuisée, se laisse tomber dans le fond comme une loque. Malheureusement, la vague qui a entraîné le canot l'a aussi à moitié inondé. Pourtant Mirella, incapable de faire un mouvement, reste immobile, le dos dans l'eau glacée. Pendant ce temps, Abelseth, qui a aperçu Trevor, traverse le bateau pour l'aider à monter. Mais le temps de se baisser et de lui tendre la main, Trevor est mort, foudroyé par le froid. Olaus, à son tour, sent les forces lui manquer, et il s'évanouit à côté de Mirella.

L'arrière du paquebot reste seul sur les flots. On le voit se relever majestueusement, inexorablement, transformant le pont extérieur en paroi verticale. Les uns derrière les autres, les survivants – et parmi eux Astor, Guggenheim, son valet en frac et Widener – sont précipités à la mer.

À deux heures vingt très précisément, sans provoquer la moindre vague, le moindre remous, l'arrière du majestueux géant s'abîme dans les flots, verticalement, déposant doucement sur la mer ceux qui se sont accrochés aux haubans et au bastingage. Michel et Charles se retrouvent dans l'eau à quelques mètres l'un de l'autre.

*
*   *

Dans sa chambre de Nice, à deux heures vingt, toujours assise sur son lit les yeux grands ouverts, Marcelle voit très distinctement lui apparaître le couloir déjà entrevu précédemment. La pente s'est accentuée au point de ressembler à un boyau de mine ou à un toboggan. Tout au fond, grimpant péniblement dans l'angle formé par le sol et le mur, glissant, se relevant, s'appuyant des deux mains à la cloison droite et au plancher, un homme tente de remonter la pente. Quelque chose d'insolite que Marcelle ne parvient pas à identifier déforme sa silhouette. Enfin, Michel, car c'est bien lui, parvient jusqu'en haut et lui tend une lettre. Ses cheveux sont bizarrement blancs, ses vêtements raides.

Marcelle avance sa main, effleure la sienne et frissonne tant elle la trouve glacée. Elle saisit la lettre et sent l'effroi la gagner tout entière. C'est une lettre de deuil, tout ourlée de noir. Au même instant, le couloir disparaît et fait place à un paysage étrange, pétrifié, ni bleu, ni noir, ni blanc, ni liquide ni solide, ni sombre ni clair. Puis la vision s'efface aussi brusquement qu'elle est venue. Marcelle hurle sans pouvoir s'arrêter. Son beau-père, Antonio, éveillé en sursaut, surgit de la chambre voisine et la prend dans ses bras.

« Marcelle, pour l'amour de Dieu, éveille-toi! Tu rêves! »

L'atroce hurlement cesse. Marcelle tourne son regard vers Antonio et lui dit d'une voix blanche :

« Michel est en train de mourir. »

À ce moment, la porte s'ouvre et Angelina, sa mère, pénètre à son tour dans la chambre. Marcelle la regarde sans la voir. On a le sentiment qu'elle ne ressent plus rien, qu'elle est anesthésiée. Quelques minutes passent. Angelina et Antonio n'osent bouger. Enfin une voix neutre, impersonnelle articule :

« Ouvrez la fenêtre! »

Angelina s'exécute. Avec le décalage horaire, il est sept heures trente à Nice. Le soleil printanier entre à flots, illuminant la chambre où Marcelle et Michel ont été si heureux ensemble.

16

Sur les chaloupes

Lolo, après son vol plané, a atterri dans les bras d'une jeune fille qu'il a reconnue sans peine pour l'avoir rencontrée pendant la traversée de Calais à Douvres, puis aperçue à plusieurs reprises à bord du *Titanic* : cheveux blonds remontés en chignon très haut sur la tête et auréolant le visage d'une nuée de mèches folles, yeux verts comme la Manche, bouche un peu grande toujours prête à sourire, Margaret Hays n'a aucun lien de famille avec Charles Hays, resté à bord du *Titanic* en compagnie de Guggenheim, Astor et Widener. Si Margaret a tant tardé à embarquer, c'est qu'elle a commencé par céder sa place à des femmes accompagnées de bébés. Âgée seulement de vingt-cinq ans, elle affectionne tout particulièrement les enfants. Elle a consacré une partie de sa fortune à fonder à New York un orphelinat dont elle est la directrice. Dès leur embarquement sur le canot D, elle a adopté les deux petits Français.

Margaret avait déjà remarqué les enfants Navratil et trouvé étrange l'absence de leur mère. Et voilà qu'elle les retrouve sur ce canot, le dernier à être descendu du *Titanic*. Elle comprend que leur père est resté à bord du vaisseau en perdition. Le plus important, à présent, est d'épargner aux enfants la vision du naufrage. Mais malgré ses efforts pour distraire leur attention, tous deux refusent de s'asseoir et regardent fixement, sur le *Titanic* encore tout proche, leur père qui leur fait des signes d'adieu. Devant la distance qui ne cesse d'augmenter entre Michel et eux, devant l'image navrante offerte par le titan mortellement blessé, Lolo et Momon apostrophent leur père, désespérément.

« Papa! Papa! Saute, rejoins-nous! Papa! Papa! »

Leurs appels ne cessent plus, déclenchant d'autres appels déchirants parmi les enfants du canot D et des canots voisins.

« Vite, vite, éloignons-nous! » disent les femmes qui occupent le canot.

Les hommes rament de toutes leurs forces et l'on prend un peu de distance. Quand Lolo aperçoit alors Frédéric Hoyt qui nage dans leur direction, il est saisi d'un fol espoir et suit avec passion les efforts désespérés du nageur pour les rejoindre. « C'est papa, ce ne peut être que lui », pense-t-il. Mais ce n'est que Frédéric que l'on hisse à bord et Lolo s'aperçoit de sa méprise. Atrocement déçu, il tombe dans une prostration muette dont ni Momon ni Margaret ne réussissent à le tirer.

Tout à coup, comme le bateau se brise en deux dans un vacarme effroyable produit par les chaudières qui se mettent à siffler au contact de l'eau, les rameurs s'immobilisent et la chaloupe s'arrête lentement. Une grande onde de choc les rejoint et le canot embarque une bonne dose d'eau glacée avant de faire demi-tour, emporté par l'élan. Les rescapés se retrouvent face au *Titanic* agonisant.

Margaret serre Momon dans ses bras afin de lui épargner le spectacle de l'engloutissement final et attire Lolo près d'elle, sans réussir à le détourner de cette épouvantable contemplation. La partie avant du bateau commence lentement à couler. La poitrine comme vidée de son cœur, le regard fixe, l'enfant regarde les mille et une lumières s'enfoncer peu à peu dans l'eau glauque et laisser derrière elles de petites traînées lumineuses ondulées qui se perdent bientôt dans l'obscurité de l'abîme.

Il reste pétrifié, le regard fixé sur le point du naufrage, longtemps après que l'avant a été englouti par cette mer mauvaise, aussi lisse que le marbre poli. Jusqu'à sentir le corps de Momon près de lui s'amollir sous l'effet du sommeil. Alors seulement, il regarde autour de lui, dévisageant les adultes et les enfants, cherchant à découvrir un visage familier, avide de tendresse et de réconfort. Il sent la douleur le déchirer, il pourrait en mourir. Il essaie d'oublier que papa est peut-être mort. Tout près de lui, une petite fille sanglote, le visage dans ses mains, tandis qu'une jeune

femme qui porte dans ses bras un bébé endormi tente de la raisonner. Écrasé par la fatigue et l'émotion, Lolo glisse durant quelques secondes dans le sommeil. Le silence surnaturel semble devoir durer indéfiniment. Durant une brève minute, sur toutes les chaloupes, les survivants, croyants et incroyants, s'unissent en une immense prière qui réveille l'enfant en sursaut.

Les passagers, sur les canots, considèrent dans un état second le spectacle inouï qui s'offre à eux. L'arrière du vaisseau gigantesque dressé à la verticale, majestueux, s'élance vers le ciel. Juste avant de s'abîmer dans les flots, les lumières tremblotantes des hublots s'éteignent toutes ensemble. Le géant se laisse couler silencieusement vers les noires abysses et disparaît rapidement parmi les champs de glace recouverts de cristaux tout neufs. C'est un spectacle d'une beauté, d'une grandeur inoubliables. À bord du canot D, tous restent muets. Les mères ont fourré la tête de leurs enfants dans leur jupe. Les bébés comme Edmond dorment, les adultes et le petit Lolo se taisent, oppressés par l'horrible beauté du naufrage.

Soudain, le silence absolu qui règne sur la mer, terriblement vide malgré la présence des icebergs, est déchiré par des centaines de plaintes qui s'élèvent de la mer et l'air retentit des cris atroces des victimes. Plus d'un millier de personnes se trouvent soudainement plongées dans une eau à moins deux degrés[1]. Un certain nombre d'entre elles ne supportent pas le

---

1. Parmi les passagers, il y a 53 enfants (52 viennent de troisième classe), 101 femmes et 651 hommes à la mer. En tout, 1480 personnes. Parmi le personnel du bateau et les membres d'équipage, 685 personnes, hommes et

choc et meurent de congestion, mais les autres hurlent, s'agrippant les unes aux autres, se disputant la moindre épave où se hisser pour échapper à l'épouvantable étau du gel.

Lolo scrute l'océan noir autour de lui.

« Papa, où est mon papa? Et Mirella? Et Trevor? Et Charles? Et mon ami le vieux monsieur? Il faut les repêcher tout de suite! »

Margaret ne répond pas et attire le petit contre elle en lui caressant la joue. Elle sent sa gorge se serrer, une insupportable émotion l'étreindre. Les larmes sillonnent ses joues, y imprimant des traînées noires. Lolo lève la tête et voit son chagrin. Justement parce qu'elle désespère, l'espoir surgit en lui. Non, son papa, ses amis flottent à présent sur l'eau, on les repêchera tout à l'heure. Un sommeil de plomb lui ferme les yeux et lui épargne la torture de cette agonie collective devant laquelle les rescapés restent presque tous impuissants.

Chacun des nageurs espère maintenant être recueilli par un canot. En vain. Pour ne plus entendre ces hurlements atroces, pour ne pas voir ces misérables enfants, ces parents, isolés les uns des autres par leur chute, ces vieillards, ces hommes dans la force de l'âge, ces jeunes gens et ces jeunes filles se débattre au milieu des blocs de glace et tenter de trouver de l'aide, presque toutes

---

femmes, se débattent dans l'eau, la plupart sans gilet de sauvetage, en particulier McCawley, le professeur de gymnastique, qui a expliqué fiévreusement à qui voulait bien l'entendre que l'on nageait mieux sans gilet. Ceux-là vont connaître une mort rapide.

les embarcations de sauvetage s'éloignent de toute la force de leurs rames, abandonnant les malheureux à leur horrible destin. Partout l'on redoute que les agonisants ne se cramponnent aux barques et ne les fassent verser. Crainte absurde, les bords des canots étant inaccessibles sans l'aide des passagers pour qui nage à la surface de l'eau.

À bord de chaque chaloupe, les rescapés se querellent. Les femmes dont les maris ou les grands fils sont restés à bord et une partie des autres passagers supplient qu'on fasse preuve de solidarité et que l'on recueille un maximum de naufragés. Mais la majorité souhaite s'éloigner. Plus les canots comptent de places disponibles, plus les occupants craignent pour leur vie. Lorsque l'on est parvenu à une certaine distance du lieu du naufrage, les discussions reprennent, encore plus vives. Les passagères du six, par exemple, veulent à toute force faire demi-tour, mais Hichens, le quartier-maître, s'y refuse. Le quatre repêche huit nageurs à son bord parce qu'ils sont parvenus jusqu'à lui. Le B en recueille deux, ainsi qu'un bébé qui leur est tendu par le capitaine Smith, qui repart à la nage! On ne le reverra plus.

Dans le D, déjà surchargé (cinquante-cinq personnes au lieu des quarante-neuf prévues), personne ne parle de faire demi-tour. On s'éloigne le plus vite possible pour ne plus entendre les cris. Mais on avance lentement et le son porte très loin. Lolo, de nouveau arraché au sommeil, sent ses cheveux se hérisser sur sa tête en percevant ces cris de détresse, déjà affaiblis par l'éloignement. Peut-être que son père crie, lui aussi. Il faut aller le sauver. Il se précipite vers l'homme qui fait office de capitaine en piétinant les corps de ceux qui se sont allongés au fond du canot et se bouchent les oreilles pour ne plus rien entendre. Il supplie :

« Monsieur, s'il te plaît, reviens en arrière! Mon papa est resté sur le bateau et maintenant il nage peut-être dans l'eau, sauve-le! »

Personne ne l'écoute car tout le monde se parle en même temps. Margaret propose de chanter des cantiques pour couvrir les cris de la mer. Une heure durant, des psaumes poussés à pleins poumons retentissent sur l'eau, entrecoupés de sanglots. D'autres canots suivent l'exemple.

Lolo, maintenant, est solidement maintenu par l'un des messieurs qu'il a aperçus avec Charles Bedford et son père : c'est Björn Steffanson, lieutenant de vaisseau suédois attaché naval à Washington. En compagnie de son ami Hugh Woolner, il a aidé les officiers à libérer le canot C de ses assaillants, puis il a assisté à l'embarquement des femmes dans le D. Pendant que Michel faisait ses adieux à Momon et Lolo, Murdoch a demandé s'il y avait deux hommes possédant quelques connaissances de navigation, susceptibles de prendre la direction du canot. Tous deux se sont proposés et ont sauté dedans juste avant Lolo. Steffanson a pris la barre, et Woolner les avirons, à côté de Margaret.

Lolo est passé de main en main, puis se retrouve sur les genoux de Miss Hays. Il se débat et crie sa douleur et son impuissance. Pourquoi ne pas secourir ces malheureux qui hurlent? C'est trop injuste. À un âge aussi tendre, il découvre tout à la fois : l'arbitraire de la vie, l'injustice, le mal, et l'absence de solidarité entre les hommes.

Il faut une bonne demi-heure à Margaret pour le calmer. Elle chuchote à son oreille des paroles de réconfort, propres à contenter son exigence de vérité, sans toutefois le blesser trop profondément : il n'y a plus de place sur le canot. On ne peut pas revenir et donner aux gens un faux espoir. Lolo doit penser maintenant qu'il est le chef de famille et s'occuper de Momon. Son père a peut-être trouvé une place dans les deux canots restants. Il faut attendre le jour et la venue des sauveteurs. Lolo se rendort.

Vers trois heures, Lolo a faim. Il se souvient des gâteaux du boulanger. Il sort de ses poches des petits paquets écrasés et les offre à ses voisines et voisins. Tous les autres enfants dorment. Le froid se fait toujours plus intense. Les cheveux des passagers se sont couverts de givre. Frédéric Hoyt, dont les vêtements sont trempés, rame comme un fou, à une cadence triple de la normale. Mais le canot n'avance pas plus vite pour autant. En effet, la toile n'est pas tout à fait étanche et s'imbibe d'eau. Il faut écoper souvent. De plus, le fond plat l'expose à dériver plus rapidement que les autres. Peu à peu, les gens qui se sont allongés se relèvent, transis d'humidité. Pour lutter contre le froid, on se relaie aux rames. Lolo se souvient des conseils du professeur MacCawley mais personne ne le laisse ramer.

Ailleurs, l'atmosphère est parfois à la tempête. Si

Madeleine sur le quatre, donne son châle à une petite fille de troisième classe qui pleure, si un matelot du cinq propose ses chaussettes à Mme Dodge qui est pieds nus dans ses mules, si dans le six, Mme Brown, une sympathique et énergique personne au fort tempérament, entoure de son étole de fourrure les pieds d'un matelot qui claque des dents, une femme du onze importune tout le monde en faisant sonner un réveil toutes les cinq minutes. Sir Duff Gordon et Henry Stengel, sur le un, se disputent le pouvoir. Des chauffeurs du trois refusent d'éteindre leurs cigarettes qui importunent les autres passagers et tous les passagers du cinq se querellent. Rien de tel sur le canot D. Woolner a bourré ses poches de biscuits et d'oranges et il nourrit Lolo et les autres enfants jusqu'à l'arrivée du *Carpathia*.

Les chants diminuent d'intensité au fur et à mesure que les cris des naufragés s'éteignent. À trois heures, les appels au secours sont réduits à de faibles cris isolés qui ne parviennent plus jusqu'aux canots. Lolo, bercé par les flots dans son sommeil, rêve à sa mère. Margaret a dit qu'elle viendrait chercher ses enfants à New York, cela coïncide avec les affirmations de son père. Ses yeux papillotent mais le sommeil ne peut venir car ses pieds se refroidissent. Au début, ce n'était rien que de très habituel. Mais peu à peu, le désagrément se transforme en douleur : il lui semble être piqué par des centaines d'aiguilles. Il regarde le plancher et voit qu'il a les pieds dans l'eau.

Michel a beau s'être préparé à l'avance au contact de l'eau glacée, la sensation qu'il éprouve est presque impossible à évoquer : une agression furieuse, dévastatrice, paralysant le corps tout entier, s'attaquant au cœur, aux viscères, au plexus, à l'extrémité des membres. Il lui faut plusieurs minutes pour accoutumer son corps à cette eau glaciale avant de pouvoir bouger. Enfin il réussit péniblement à s'arracher à la paralysie qui l'a pétrifié et commence à nager. Il aperçoit Charles non loin de lui. Il lui semble que sa position est étrange. Avec une peine indescriptible, il le rejoint pour constater qu'il flotte sur le ventre : il est mort sur le coup, de congestion.

Le séjour dans cet élément glacé est si douloureux que Michel envie la fin rapide de Charles. Il se sent transpercé de mille poignards rougis au feu. Sans plus s'attarder auprès de celui qui a été son meilleur ami et son bienfaiteur, il s'éloigne, déployant toute l'énergie dont il est capable pour lutter contre le gel. Il aperçoit non loin de là le canot renversé, distingue des formes humaines en train de l'escalader et prend résolument une autre direction. Après avoir nagé environ cent mètres, avec le sentiment que jamais il ne s'est déplacé à une telle vitesse dans l'eau alors qu'au contraire le froid a ralenti ses mouvements sans qu'il en prenne conscience, il arrive à proximité du A. Là encore, il renonce à s'en approcher en voyant la grappe humaine occupée à se hisser dedans. Il ignore que ses amis Mirella, Trevor, Abelseth, Phillips, Schmidt et Callagher sont là, à quelques mètres de lui. Il décide de nager droit devant lui tant qu'il en aura la force. Si le destin lui est favorable, il rencontrera une embarcation de sauvetage qui le recueillera.

Un silence absolu règne sur le canot A qui a pris un aspect fantomatique. Une trentaine de corps s'entassent dans le fond, trempant à demi dans l'eau, ainsi que sur les plats-bords. Leurs vêtements humides ont gelé, leur chevelure est recouverte de givre. Le bateau semble dériver doucement vers l'île des morts. De temps à autre, l'un des corps allongés sur le plat-bord tombe lourdement à l'eau et reste là, flottant à la surface[1]. Enfin, certains rescapés sortent de leur torpeur et tentent d'écoper. Mirella, livide, le regard fixe, tremble sans discontinuer. Elle n'a pas la force de faire un mouvement. Du reste, personne à bord ne trouve l'énergie nécessaire pour ramer longtemps : au bout de dix minutes, tous retombent dans leur inertie. La seule chose qui maintient les gens en vie est le rhum qui se trouve dans le canot et que l'on boit à la régalade. Olaus installe Mirella au sec, sur le plat-bord, et entreprend de la frictionner et de la faire remuer. Une heure durant, il ne se décourage pas. Phillips, à côté de lui, ne respire qu'à peine… De temps en temps, Abelseth regarde l'océan. Dans un périmètre de cinq cents mètres autour du lieu de la catastrophe flotte une multitude

---

1. La plupart des cadavres furent repêchés dans la semaine qui suivit par les navires venus trop tard à la rescousse. Mais certains échappèrent à leur investigation et de nombreux mois, des années même après la catastrophe, des navires de passage repêchèrent et envoyèrent par le grand fond des squelettes rivés à la surface par leur gilet de sauvetage…

d'épaves : caisses, tonneaux, meubles, portes, planches, cloisons, et les objets les plus divers : jouets, bouteilles vides, chapeaux ; Olaus voit même passer à sa portée une poupée, un biberon…

Sur le canot D, la situation n'est guère brillante. L'embarcation fait eau lentement, mais sûrement. Margaret a pris Momon sur ses genoux, Lolo a posé les pieds sur un tas de cordages, et les passagers adultes écopent sans discontinuer. La situation devient vraiment préoccupante lorsqu'on aperçoit, non loin de là, trois canots qui semblent avoir formé un train. Aussitôt, l'on se met à crier, à agiter les rames, ce qui a pour résultat de faire tanguer le bateau et d'éveiller Lolo.

« Que se passe-t-il, Mag ?

— Nous appelons des canots pour ne pas rester seuls. Regarde-les, là-bas, ils viennent vers nous ! »

Margaret n'a pas songé à l'effet qu'une pareille nouvelle produirait sur le petit garçon. Aussitôt, il se lève et crie avec la plus grande excitation :

« Je vais revoir papa ! Je vais revoir papa !

— Mais non, Lolo, c'est impossible ! intervient Mag. Ces bateaux sont partis avant nous ! »

Lolo ne l'écoute pas et surveille avec obstination l'approche du train de canots. Il y a en tête le quatorze, commandé par Lowe, le cinquième officier, puis viennent le dix, le douze et le quatre. Une corde d'environ cent cinquante mètres relie les embarcations à la manière d'un cordon ombilical. C'est infiniment réconfortant pour les malheureux passagers du D de les voir arriver. Dès que le quatorze est rangé près d'eux, Lowe examine les dégâts d'un œil d'expert et déclare d'un ton catégorique :

« Ce n'est pas agréable pour vous, mais ce bateau peut encore flotter au moins deux heures ! Dans une heure environ, le *Carpathia* sera arrivé. N'ayez aucune inquiétude. Nous allons vous accrocher derrière le quatre, ainsi vous serez tout à fait rassurés. »

C'est alors que la petite voix mal assurée de Lolo se fait entendre :

« Et mon papa, est-ce qu'il est avec vous ?

— Comment t'appelles-tu, petit ?

— Lolo, et mon petit frère qui dort, Momon !

— Et ton nom de famille ?

— Mon nom de famille ? »

Lolo entend ce mot-là pour la deuxième fois.

Papa a pourtant bien insisté. « Tu t'appelles… » Mais rien ne revient à sa mémoire.

« Je ne sais pas !

— Voyons, Lolo comment ?

— Lolo ! »

Lowe perd patience. Il a des choses autrement importantes à faire que d'écouter cet enfant. On verra plus tard. Pour l'instant, il s'agit de répartir les passagers du quatorze, au nombre de cinquante-cinq, sur les embarcations valides car Lowe compte faire demi-tour pour recueillir dans le quatorze tous les survivants qu'il trouvera sur son chemin. Lorsque la petite flottille est regroupée, Lolo distingue clairement les visages dans les bateaux voisins, à l'exception de ceux des dormeurs. Steffanson, qui le voit se tortiller dans l'espoir d'apercevoir son père, a pitié de lui. Mettant ses mains en porte-voix, il s'écrie :

« Avez-vous recueilli des survivants?

— Le quatre en a repêché huit. Voulez-vous leur nom?

— Demandez seulement si l'un d'entre eux n'a pas déposé ses deux petits garçons dans le D. »

Dix minutes s'écoulent pendant lesquelles Lolo attend, le souffle court. À côté de lui, il y a un grand remue-ménage. Les barques tanguent tandis que les passagers sont transférés du quatorze au dix, puis au douze, et enfin au quatre où se trouvent Daniel Buckley et Madeline, qui aperçoit Lolo et lui crie en français :

« Oh! mon petit ami! Comment allez-vous? »

Et Lolo d'éclater en sanglots :

« Mon papa, mon papa, je veux voir mon papa! »

Enfin Steffanson obtient une réponse. Non, aucun des rescapés repêchés par le quatre n'a de petits garçons. Du reste, l'un d'eux est déjà mort de froid. On l'a rejeté par-dessus bord.

Lolo a l'impression que son cœur se brise. Il ne verra jamais plus son papa, jamais plus, jamais plus. Il ne peut même plus pleurer. Il repousse Mag qui veut le prendre dans ses bras. Mais Momon, qui a dormi d'un trait jusque-là, s'éveille en sursaut, se relève, se voit sur la mer glacée entouré d'inconnus et éclate en sanglots. Lolo se précipite vers lui et le serre contre lui à l'étouffer. Momon se calme rapidement et les deux enfants restent ainsi, immobiles, assis l'un contre l'autre. La joue de Lolo est appuyée sur la petite tête moutonneuse de Momon, blotti contre la poitrine de son grand frère.

À les voir ainsi, unis dans l'adversité, aucun adulte ne peut rester insensible. Les deux petits orphelins, sensibles à la chaleureuse sympathie qui les entoure, se tranquillisent un peu. Au même moment, Mag se lève et montre le ciel : là-bas, une gerbe de fusées! Il est trois heures trente, le *Carpathia* file à dix-sept nœuds et demi, trois de plus que le maximum permis!

Dans les canots, on commence à distinguer le paysage alentour. À l'horizon, le ciel s'éclaircit. Après les échanges de saluts et d'informations avec les rescapés des chaloupes voisines et l'amarrage des canots les uns aux autres, après l'allégresse provoquée par l'apparition des fusées, la plupart des hommes retombent dans leur torpeur, prostrés, incapables de réagir. Les femmes les ont relayés depuis longtemps aux rames et chantent pour se donner du courage.

Cependant Lowe s'éloigne sur le quatorze, vide à l'exception de deux hommes d'équipage, et le silence se fait plus opaque encore. Lolo, les yeux grands ouverts, regarde le jour se lever. Il serre toujours Momon dans ses bras. Malgré l'épaisseur des vêtements que Trevor a empilés sur lui, il commence à frissonner et il ne sent plus ses pieds tellement ils sont froids. Peu à peu, il oublie l'horreur des heures précédentes, cédant à l'éblouissement de ce paysage polaire, transporté dans le monde de ses rêves, guettant l'apparition du Père Noël, parmi les montagnes de glace étincelantes et les champs de neige à perte de vue et, çà et là, entre les plaques de glace, les lacs d'un bleu profond. Il oublie la mort blanche et noire. L'image surgit soudain en lui d'une scène passée, qui lui semble si lointaine, et qui n'est vieille que de deux heures. Son père, debout sur le pont du *Titanic*, agitant les mains en signe d'adieu, mais cet adieu, le Père Noël vient de le lui dire, n'est qu'un au revoir.

Le temps passe. L'enfant reste plongé dans son rêve, sommeillant à demi. Le ciel rosit, puis se pare des couleurs de l'arc-en-ciel vers l'orient. L'espace de quelques instants, il y a un flamboiement de couleur verte, de l'émeraude faite air. Puis le soleil apparaît, immense boule sanglante émergeant lentement de l'océan figé. L'aurore boréale, que Lolo est peut-être le seul à avoir remarquée sur le canot D tant elle est fugace, se dissipe et Lolo, tournant son regard, aperçoit, très loin vers le sud, point lumineux couronné de fumée blanche, un vaisseau qui vient vers eux. C'est alors qu'il se rendort, vaincu par la fatigue de cette nuit terrible.

À un kilomètre de là, Lowe, à la recherche des derniers survivants, remarque, tête blanche immobile sur l'eau, un jeune homme dont le gel a pétrifié les traits mais dont les yeux brillent encore. Une heure durant, Michel a nagé au hasard de la nuit. De plus en plus lentement. À l'atroce douleur des premières minutes a peu à peu succédé une sensation bizarre, comme si ses membres inférieurs devenaient peu à peu des morceaux de bois.

Vers trois heures, l'insensibilité a gagné le tronc. Michel ne nageait plus qu'avec les bras, bien que ses mains, elles aussi, ne répondent plus à sa volonté. Puis, tandis que le ciel s'éclaircissait à l'horizon et que brillait, au-dessus de lui, triomphante, l'étoile du matin, il a cessé de bouger.

Il n'a plus mal, son corps n'existe plus. Mais il sent toujours battre son cœur et, en lui, les souvenirs déroulent leur film chaleureux. Il revit les événements marquants de sa petite enfance, dans son village slovaque au bord du fier Danube, roulant ses eaux brunes à la vitesse d'un torrent en crue. Comme surgissant de la mer qui, autour de lui, se recouvre d'une pellicule de glace, il voit apparaître son grand-père, mort depuis dix ans, un Michel Navratil aussi, avec sa grande barbe blanche, ses anneaux dans les oreilles, sa moustache immaculée frisée au fer et son bon sourire, éclairant son visage plissé de mille rides. N'est-ce pas lui que Lolo prend en ce moment pour le Père Noël? Il sourit à l'agonisant et lui tend les bras. Michel sent subitement un merveilleux bien-être l'envahir, l'aurore boréale déploie tous ses feux pour lui et pour son fils Lolo, encore un Michel Navratil. La lignée ne s'arrêtera pas là. Peu à peu, Michel distingue, au-dessus du rayon vert, une longue farandole, celle de tous les Michel Navratil qui les ont précédés. Il souhaite les rejoindre pour l'éternité. Quand Lowe parvient à sa hauteur, il vient juste d'expirer.

Sur le canot A, plus personne n'espère de salut. Olaus tient entre ses bras le corps glacé de Mirella.

L'eau lui arrive aux genoux. Autour d'eux, trois cadavres lèvent vers le ciel pur leur regard vide. Personne n'a le courage de les rejeter à la mer. Olaus souffle sur le visage de la jeune fille et lui murmure des mots tendres. Mirella sourit mais Olaus sait qu'il n'y a plus d'espoir. Une dernière fois, elle ouvre les yeux, le regarde en rassemblant toute sa faible énergie puis, comme les lumières du *Titanic* au moment du naufrage, son regard s'éteint soudain. Olaus la tient encore contre lui durant quelques minutes. Il se sent engourdi, anesthésié, il ne peut plus penser à rien. Bientôt, le canot coulera. La fin est proche.

Soudain surgit, comme du néant, une embarcation vide. Debout, agitant la main en signe de réconfort, un officier en uniforme se tient là, près de lui. Alors Olaus retrouve la force et le désir de vivre. Il se lève péniblement, regarde Mirella, évoque en un instant les merveilleuses heures passées ensemble puis, fermement, il soulève le petit corps léger qui ressemble maintenant à une statue de marbre, tranche avec son couteau les courroies du gilet de sauvetage et fait glisser lentement, religieusement, dans l'abîme liquide, le corps de Mirella qui s'enfonce doucement. Il saute dans le canot quatorze et aide ses camarades survivants à venir le rejoindre. Une seule femme, passagère de troisième classe, a survécu, Rosa Abbott. Il y a aussi un passager de première classe, Edward Brown, qui est vêtu d'un habit de steward. Mais personne ne pense à lui demander des explications à ce sujet. Quant à Phillips, le froid vient d'avoir raison de lui.

Pendant ce temps-là, à bord du train de canots, on a décidé de se séparer car on se déplace beaucoup trop lentement, et tout le monde a hâte de monter à bord du *Carpathia* qui ne doit plus être loin. Seuls, les passagers du D auraient souhaité rester encordés. Tandis qu'on est occupé à trancher les liens ombilicaux, Margaret aperçoit quelque chose de si insolite qu'elle se frotte les yeux. Là-bas, à une centaine de mètres du canot, des hommes marchent sur la mer ! Bientôt, tous les gens éveillés et valides regardent avec stupéfaction ces êtres étranges qui font des signes de détresse. Puis, après le premier instant de surprise, les barques quatre, dix et douze prennent la direction des mystérieux rescapés.

Le canot B, pourtant en plus mauvaise posture que le A, n'a eu que peu de morts. Jack Thayer a très bien résisté au froid mais plusieurs passagers, comme Bride, ont les pieds gelés. L'Engelhardt est immergé aux trois quarts. Sans l'ingéniosité de Lightoller, il aurait coulé depuis longtemps. Avec l'aube, le vent s'est levé, et une petite brise glaciale soulève des vagues courtes et impérieuses, qui submergent régulièrement le canot. Lightoller a réparti la trentaine de rescapés en deux groupes, debout à bâbord et à tribord, et il lance des ordres auxquels tous obéissent : « Penchez-vous à droite ! À gauche ! Tout droit ! » Grâce à lui, le bateau flotte encore. L'un des hommes chancelle et semble aux dernières limites de l'épuisement. Lorsque le quatre s'approche, le B se met à tanguer. Va-t-il faire naufrage au moment d'être secouru? Au soulagement général, il se stabilise et les rescapés embarquent sur le quatre. Le B a la bonne idée d'attendre que le transbordement soit terminé pour couler à pic.

Le petit convoi se remet en branle, droit vers le sud. Avec le soleil, l'énergie revient. Les derniers biscuits sont partagés, le rhum est distribué aux survivants du B. La silhouette du *Carpathia* se rapproche insensiblement.

À nouveau le calme règne. Personne ne parle. Pourtant une voix lointaine se fait entendre, chantant Dieu sait quoi. Les regards se portent en direction du son, mais la mer glacée est vide. La petite brise pousse bien çà et là quelques blocs de glace, mais a-t-on jamais vu de la glace qui chante? Pourtant la voix se rapproche, avinée, extrêmement avinée. Un des icebergs tourne sur lui-même, le vent le fait virer de bord et dévoile une étrange embarcation faite de transats blancs assemblés. Pas de pilote en vue. Pourtant, en y regardant bien, une tête aux cheveux et aux sourcils givrés surnage au milieu et cette tête chante : posées sur les transats, deux bouteilles de whisky, l'une vide l'autre à demi pleine, lui tiennent compagnie. Soudain la tête en question s'anime à la vue des canots, elle se dégage des transats, un bras émerge et saisit fermement la dernière bouteille. L'homme nage joyeusement vers les canots en éclaboussant tout le monde. Il semble aussi à l'aise que dans une piscine thermale! On le hisse à bord du quatre, mais ses voisins se détournent tant son haleine empeste. Il s'écroule ivre mort au fond de la barque et ne donne plus signe de vie jusqu'au transbordement sur le *Carpathia*. L'excès d'alcool l'a sauvé du froid.

Joughin, après le naufrage, a tranquillement navigué parmi les épaves en chantant ses chansons à boire. De temps en temps, il buvait une rasade de whisky au goulot de sa deuxième bouteille de la soirée, histoire de se donner du courage. Une heure avait passé et il s'étonnait de rencontrer de moins en moins de nageurs. Il tentait obstinément d'engager la conversation avec ceux qui flottaient dans les environs mais, ne recevant pas de réponse des morts, il braillait d'un ton sentimental que personne ne l'aimait, il versait quelques larmes et se réconfortait avec une nouvelle lampée de whisky. C'est ainsi que vers trois heures et demie, les naufragés du B n'en crurent pas leurs oreilles lorsqu'un chant d'ivrogne parvint jusqu'à eux. Lightoller appela, une voix éraillée répondit en français. Un chauffeur reconnut Joughin et le hissa à bord en lui tendant une main secourable. Plusieurs fois, par la suite, il perdit l'équilibre et tomba à la mer mais il trouvait toujours assez d'énergie pour remonter sans se séparer de ses bouteilles. À la fin, il préféra regagner ses transats et patauger dans l'eau.

Dans les embarcations trop lourdement chargées, chacun s'inquiète. La chaloupe résistera-t-elle? La petite brise glaciale du matin a provoqué de courtes vaguelettes sur lesquelles les bateaux si vulnérables dansent, embarquant des paquets d'eau. La situation devient alarmante.

Mag s'est déplacée de façon à surveiller Lolo et Momon. Tandis qu'elle lève les yeux, elle aperçoit, à proximité, un panache de fumée grise poussé dans leur direction par le vent. Le *Carpathia*, rencontrant les premières chaloupes, met en panne à quelques centaines de mètres d'eux.

17

Les orphelins de l'abîme

Le lundi 15 avril en s'éveillant, Marcelle court chercher les journaux dans l'espoir d'y découvrir un événement susceptible de l'éclairer sur son rêve qui, elle
en a la conviction, est prémonitoire. La mort de
Michel est certaine. Marcelle ne la met pas en doute.
Et cependant elle ne souffre pas, elle a l'impression
d'être séparée du réel par une ouate imperceptible.

Rey de Villarey a proposé son assistance, Marcelle
l'a refusée. Elle a besoin de solitude. Une seule question l'obsède : ses enfants. Une épouvantable semaine
vient de s'écouler, sans aucune nouvelle. L'enquête
policière piétine. Michel et les enfants se sont évaporés
sans laisser de traces. Michel Hoffmann, le premier

tailleur de Navratil, l'ami qui lui a racheté son affaire après la faillite, a bien écrit de Paris où il est en voyage d'affaires que le dimanche de Pâques, jour de leur disparition, Michel et les enfants sont venus déjeuner chez lui comme à l'accoutumée. Mais tout lui a semblé normal. Le seul indice qui aurait pu faire démarrer l'enquête est le prêt de son passeport, mais Michel Hoffmann n'a pas pensé à le mentionner.

Marcelle est au moins rassurée sur un point capital : il ne fait aucun doute que les petits ont bien été enlevés par leur père. L'hypothèse d'un rapt d'enfants crapuleux et de son cortège d'horreurs est désormais exclue. Mais où se trouvent Lolo et Momon ? Que sont-ils devenus depuis la mort de Michel ? Le journal, ce jour-là, ne lui apprend rien...

Le lendemain, 16 avril, la première page du *Figaro* est presque entièrement consacrée à l'éclipse de soleil qui doit avoir lieu le 17 à midi. Exaspérée, Marcelle va tourner la page lorsqu'elle aperçoit un petit entrefilet : « Dernières nouvelles : on apprend que le *Titanic* a heurté un iceberg. Les avaries seraient sérieuses, mais on ne déplorerait aucune victime. » Marcelle ne s'attarde pas, la nouvelle ne l'intéresse pas. Elle épluche, comme la veille, tous les autres quotidiens avant de se rendre au commissariat de police où l'enquête piétine.

Le 17 au matin, Antonio lui apporte, avec son café au lait du matin, une pile de journaux qu'elle consulte avidement. La une des quotidiens niçois se partage entre l'éclipse de soleil et le naufrage du *Titanic*. Toutes regorgent d'informations contradictoires qui piquent la curiosité de Marcelle. *Le Figaro* du 16 avril, par exemple, qui arrive à Nice avec un jour de retard, titre en première page : « Naufrage du *Titanic* ». Les informations étant parvenues successivement au journal, toutes figurent à la suite de façon parfaitement incohérente. On commence par annoncer que le paquebot a heurté une banquise et qu'il a réussi à se maintenir à flot. Il sera remorqué en direction d'Halifax où il arrivera le jour même. On ne déplore aucune victime, les passagers ont été recueillis par différents navires. La dépêche suivante affirme au contraire que le *Titanic* coule vers l'avant et qu'on a embarqué les femmes et les enfants sur des chaloupes. Puis vient un télégramme affirmant que tous les passagers ont quitté le bateau sains et saufs. D'autres dépêches confirment l'information : il n'y a aucune victime.

Dans les milieux spécialisés, on n'a aucune inquiétude car le *Titanic* est insubmersible. On se félicite déjà des bienfaits de la découverte de Marconi qui a permis de sauver tant de gens en une vitesse record. Suivent des considérations sur la glace flottante et les icebergs qui, selon l'armateur Welford, ne sont jamais descendus si loin vers le sud jusqu'ici. Persuadée qu'elle fait fausse route en s'intéressant au *Titanic*, Marcelle va interrompre sa lecture lorsqu'un encadré intitulé : « Dernière heure : L'agence Havas communique » attire son attention.

« La White Star Line reconnaît qu'il y a beaucoup de morts dans le naufrage du *Titanic*. »

« Le steamer *Olympic* annonce que le vapeur

Carpathia arrivé sur les lieux de l'accident n'a retrouvé que des épaves flottant parmi les glaces. »

« Le vapeur rapporte que le *Titanic* coula à environ deux heures vingt du matin et ajoute qu'environ six cent soixante-quinze personnes ont été sauvées, comprenant des passagers et des membres de l'équipage. »

« Presque tous les passagers sauvés sont des femmes et des enfants. »

« Le vapeur *Californian* reste dans le voisinage, cherchant les autres survivants. »

À mesure qu'elle lit, Marcelle éprouve une sensation d'angoisse grandissante qu'elle ne parvient pas à s'expliquer. Les journaux niçois annoncent plusieurs centaines de morts. Cette lecture l'oppresse et elle finit par la rejeter. Les feuilles imprimées s'éparpillent sur le sol autour d'elle tandis que Marcelle sent la stupeur l'envahir. L'image de ses enfants l'appelant au secours surgit devant elle et l'obsède. Elle fait un immense effort pour s'arracher à sa prostration et finit par se lever, chancelante. Pourquoi ne peut-elle pas pleurer, comme les autres? Pourquoi sa douleur ne se donne-t-elle pas enfin libre cours? Elle prend une douche froide, descend dans le jardin et marche en rond pendant une heure. La crise est passée.

*
* *

Contrairement au capitaine Lord, sur le *Californian*,

qui n'avait pas su interpréter l'apparition régulière des fusées blanches tirées par le *Titanic*, Rostron, le capitaine du *Carpathia*, prit une série de mesures d'une extrême efficacité dès qu'il apprit que le fameux navire avait heurté un iceberg. Il dévia sa route dès réception du premier message, alors même qu'il ne croyait pas encore à une avarie sérieuse. Dès qu'il sut la gravité de l'accident, il mit tout en œuvre pour arriver le plus vite possible sur les lieux du probable naufrage, n'hésitant pas pour cela à faire courir des risques, parmi les icebergs, à ses sept cent vingt-cinq passagers.

Rostron les avait consignés dans leurs cabines pour ne pas être gêné dans la préparation du sauvetage, postant un steward à chaque extrémité des couloirs pour apaiser les inquiétudes. Tout d'abord, personne ne voulut croire que c'était bien le *Titanic* qui appelait au secours et l'on faisait les suppositions les plus invraisemblables sur les raisons de cette course effrénée. L'étonnement grandit encore quand la température s'abaissa graduellement jusqu'à moins deux degrés et qu'apparurent les premiers icebergs. Alors, certains commencèrent à penser que la nouvelle était peut-être exacte.

Pendant ce temps, sur le pont et dans toutes les salles communes du *Carpathia*, régnait une intense activité. On découvrait les canots de sauvetage et on les faisait basculer sur les bossoirs, on fixait des projecteurs électriques au bastingage, on préparait des passerelles, des élingues et des sacs de jute pour hisser les enfants, les malades et les blessés, on accrochait des échelles de corde le long du bord, on gréait les mâts de charge pour monter les bagages et le courrier, on faisait tourner les treuils, on préparait de l'huile pour l'abordage au cas où la mer deviendrait houleuse. Les trois médecins du bord, un Anglais, le Dr McGhee, un Hongrois et un Italien avaient respectivement la charge des salles à manger des première, deuxième et troisième classes, provisoirement aménagées en infirmeries et en dortoir. Le chef steward Harry Hughes faisait préparer des marmites de soupe, de thé, de café et de l'alcool en quantité, grog, punch, whisky, bref tout ce qui peut réconforter quelqu'un qui a passé la nuit dehors par une température de moins deux degrés. Les autres stewards circulaient avec des piles d'oreillers, de couvertures, de serviettes.

Vers le matin, quand on eut terminé les préparatifs, on laissa aux passagers du *Carpathia* libre accès au pont supérieur. La plupart dormaient encore et ne furent pas dérangés dans leur sommeil. Mais les autres offrirent leurs services. De nombreux voyageurs proposèrent de céder leurs cabines aux dames rescapées, de nombreuses passagères se serrèrent pour faire de la place.

À quatre heures, les machines stoppent. Le *Carpathia* est arrivé sans encombre sur les lieux supposés de l'accident. Tous, sur le pont, fixent avec anxiété la mer irradiée par le soleil levant. Les icebergs s'étendent à perte de vue, dans leur blancheur surnaturelle, les champs de glace couvrent une grande partie de la surface liquide. C'est un spectacle inouï pour des gens qui ont passé l'après-midi de la veille au soleil, en vêtements légers, dans la bonne chaleur printanière. Les passagers que l'on vient d'éveiller n'en croient pas leurs yeux! Cependant, l'horizon reste désespérément vide. Pas le moindre navire en vue! La terrible éventualité d'une perte corps et biens du grand paquebot « insubmersible » effectuant son voyage inaugural se présente maintenant à tous les esprits.

Soudain, quelqu'un crie :

« Je vois quelque chose, là-bas, au nord, un point noir!

— Et là aussi, regardez! Ce sont des canots de sauvetage! Ils ne sont pas tous morts!

— Le *Titanic* a peut-être dérivé! Ou bien il est masqué par ces grands icebergs!

— Dieu veuille que vous ayez raison! »

Le *Carpathia* se dirige vers les points qui grandissent, on en voit de plus en plus. Les passagers tentent de les dénombrer. L'un d'eux, muni de jumelles, s'écrie :

« Dix-huit, j'en vois dix-huit!

— Impossible! Il doit bien y avoir deux mille cinq cents passagers sur le *Titanic*!

— Eh bien, les autres sont restés sur le navire… »

Un silence de plomb s'installe. Total, insolite, après ces heures de course, le grondement des machines et les trépidations du bon vieux rafiot.

Le canot deux est arrivé au pied du *Carpathia*. En bas, une femme, Mme Douglas, hurle, hystérique :

« Le *Titanic* a coulé! Ils sont tous morts! »

Mais le son de sa voix ne parvient pas jusqu'au pont supérieur. Boxhall, le quatrième officier[1], la fait taire énergiquement.

Le sauvetage s'opère dans le plus grand calme. Le commissaire de bord, son assistant et le chef steward se tiennent prêts, en haut des passerelles, à accueillir les malheureux survivants. Miss Evans, une très jeune fille, foule la première le pont du *Carpathia*. Elle se jette en sanglotant dans les bras du commissaire Brown :

« Le *Titanic* a coulé avec plus de mille personnes à bord ! »

Aussitôt, la tragique nouvelle se répand. Le drapeau du grand mât est mis en berne. Les gens pleurent silencieusement à la vue de ces femmes, blanches comme des statues, qui avancent comme des automates. Boxhall, convoqué par le capitaine, confirme les dires de la jeune fille. Oui, le *Titanic* est perdu corps et biens, à l'exception des privilégiés qui ont trouvé place dans les canots de sauvetage.

Chaque naufragé, en débarquant sur le *Carpathia*, doit décliner son identité et dire en quelle classe il voyageait. Il est aussitôt dirigé vers l'infirmerie correspondante, où il reçoit les premiers soins. Le recensement des rescapés est rapide : mille cinq cents personnes environ ont trouvé la mort dans la catastrophe.

Ce qui étonne le plus les observateurs, au fur et

---

1. Boxhall demandera par testament que ses cendres soient dispersées dans l'océan, à l'endroit même où le *Titanic* a sombré, ce qui sera fait le 12 juin 1967.

à mesure que les canots arrivent, c'est qu'un grand nombre d'entre eux sont à demi vides. Celui des Duff Gordon, par exemple, ou de Dorothy Gibson l'actrice de cinéma. Et par une coïncidence étrange, c'est sur ces embarcations-là qu'il y a le plus grand pourcentage d'hommes[1]...

Le premier canot a accosté à quatre heures dix. Les suivants se succèdent jusqu'à sept heures, à l'exception du douze qui n'arrive qu'à huit heures dix et qui a beaucoup de mal à accoster car la brise a forci et les vagues menacent de le renverser. À huit heures quarante-cinq, le sauvetage est terminé.

Le D, où se trouvent les deux petits garçons, arrive avant-dernier. Il a été largué par les autres canots du convoi. Il n'aurait jamais pu parvenir au *Carpathia* par ses propres moyens car il est alors dans un état comparable au A quand Lowe l'a secouru. On imagine sans peine l'angoisse qui règne à bord : les rescapés du D ont vu couler le canot B rempli d'eau une minute après que ses passagers ont été transférés sur les autres chaloupes. Le canot D ayant embarqué plus d'eau que l'on n'en peut écoper, il se trouve maintenant dans une situation critique.

Heureusement, le quatorze – toujours dirigé par le bon, le secourable Lowe qui a à son bord les rescapés du A – est passé non loin de lui, louvoyant à la voile en direction du *Carpathia*, et l'a repris en remorque, ce qui ralentit beaucoup son allure.

---

1. Sur le moment, personne ne songe à mal mais, plus tard, lors des deux commissions d'enquête à New York et à Londres, on reviendra souvent sur ce thème.

Il est sept heures quand Lolo ouvre les yeux. Il ne se souvient de rien. Il ne distingue tout d'abord qu'un grand mur noir qui danse devant lui. Il est dans les bras de Margaret, ainsi que Momon, que l'on vient de réveiller et qui ouvre de grands yeux. La jeune fille s'est réfugiée sur le plat-bord car l'eau arrive jusqu'aux genoux. Björn Steffanson et Hugh Woolner aident les passagers à évacuer le canot. Les hommes et les femmes les plus vaillants grimpent à l'échelle de corde qui se balance au-dessus de Lolo, les autres sont hissés à bord du *Carpathia* sur des sièges de corde suspendus au mât de charge.

Pour Momon et Lolo, le naufrage, la terrifiante nuit glacée, les cris d'agonie se sont déjà estompés. Heureusement pour eux, les souvenirs de cette effroyable nuit sur le canot D sont presque entièrement effacés. Mais ceux d'avant l'engloutissement du *Titanic* restent intacts. Lolo espère plus que jamais que son père a été sauvé.

Le canot D se vide peu à peu de ses passagers sans que les petits n'y prennent garde. Soudain, les grandes mains de Hugh Woolner saisissent Momon et le fourrent sans plus de ménagement dans un sac à cendres accroché à une guinde. Le précieux chargement s'élève dans les airs en se balançant tandis que Momon, ahuri, pousse des cris suraigus. Lolo en a le souffle coupé d'indignation.

« Qu'est-ce que tu fais ! C'est mon frère ! Il ne doit pas me quitter !

— Ne crains rien, gamin, tu vas aller le rejoindre tout de suite. »

Déjà la guinde redescend avec le sac vide. Lolo pense avec émotion à l'incident survenu peu avant l'embarquement, lorsque le sac de pommes de terre sur lequel il était assis s'est élevé dans les airs. Il proclame avec énergie :

« Moi, je ne veux pas monter dans un sac de pommes de terre ! Je voudrais grimper à l'échelle !

— Pas question, c'est trop dangereux, tu pourrais tomber !

— Non je ne tomberai pas ! Je ne suis pas un bébé ! »

Ses grands yeux bruns brillent de colère.

« Eh bien, tant pis pour toi, mon garçon. C'est comme ça et pas autrement. »

À son tour il est soulevé, fourré dans le sac et il monte rapidement le long de la coque du paquebot. Il se sent horriblement vexé. Mais en même temps, ce n'est pas désagréable de se balancer comme cela dans les airs. Va-t-il rire, va-t-il pleurer ? Tandis que Lolo pèse le pour et le contre en atterrissant sur le pont du *Carpathia*, il se retrouve dans les bras du commissaire Brown qui lui souhaite chaleureusement la bienvenue à bord du navire. Il s'enquiert de sa santé et lui offre un biscuit. Puis il le pose à terre et lui demande son nom.

« Lolo, répond l'enfant.

— Lolo comment ? »

Lolo pense à la recommandation de son père : « N'oublie pas que tu t'appelles… » Un blanc, rien à faire, il ne se souvient pas. Tandis que le commissaire, embarrassé, ajoute à sa liste ce petit garçon sans parents, le huitième déjà, Lolo cherche son père des yeux. Pourquoi n'est-il pas là pour l'accueillir? Le capitaine, c'est bien, mais Lolo veut son père. L'angoisse le saisit et le pousse dans la foule. Il s'introduit parmi les groupes, scrute systématiquement les visages apitoyés qui s'inclinent vers lui, s'échappe, bouscule les gens, court à perdre haleine d'un homme à l'autre et les dévisage. En vain. Papa n'est pas là. Pendant un bref instant, Lolo prend conscience que pour lui, désormais, la vie ne sera jamais plus comme avant. Le monde autour de lui s'est vidé de sa substance, comme, lui semble-t-il, l'intérieur de son corps. Il n'est plus qu'une mince enveloppe de chair oppressée entre un néant intérieur et le vide extérieur. Il suffoque et perd connaissance.

« Où est Momon? Je veux Momon! » dit Lolo d'une voix éteinte en reprenant conscience dans les bras d'un steward.

Il est saisi de vomissements incoercibles, comme s'il se débarrassait une fois pour toutes des effroyables visions emmagasinées en lui depuis la veille au soir. Lorsque son malaise a cessé, il a définitivement perdu le souvenir de la course éperdue parmi la foule des passagers à la recherche de son père. Mais il sait qu'il est mort.

« Es-tu seul petit?

— Non, je suis avec mon frère, Momon. »

Le steward observe le manteau de fourrure dont est vêtu Lolo et le conduit par déduction à la salle à manger de première classe. Il y a là de nombreuses figures inconnues, des femmes blêmes et muettes[1] et des hommes agités, fiévreux ou abattus, mais pas Momon. Son frère se trouve en effet dans la salle à manger de seconde classe où il pousse des cris stridents, appelant Lolo de toutes ses forces. Des dames s'empressent autour de lui, lui proposent du lait chaud, du cacao, des croissants, des bonbons, rien n'y fait. Le steward, inquiet, remonte sur le pont et demande à la ronde si personne n'a été séparé de son petit garçon. Au même moment, Margaret Hays surgit au-dessus du bastingage, accrochée à une échelle de corde.

« Oui, moi, un bébé de deux ans et un enfant de quatre ans !

— Il y a un bébé sans parents qui hurle dans la salle à manger de deuxième classe, je vais le chercher. »

Et il revient, portant Momon qui se débat.

À la vue de Margaret, il se rassure un peu, ses pleurs diminuent d'intensité. Mag prend Momon dans ses bras et répond rapidement aux questions de Brown. Miss Margaret Hays, première classe. Et elle a pris les deux petits sous sa protection. Elle ignore leur nom. Leur père voyageait seul avec eux, il est resté sur le *Titanic*.

Tout est consigné sur le carnet de Brown et Margaret peut enfin suivre le steward vers la salle d'accueil des premières classes. Lolo la voit entrer de loin. Il a trouvé refuge dans les bras de Madeline

---

1. Cinquante-huit d'entre elles sont veuves.

Astor qui pleure en songeant à son propre enfant qui va naître sans père tout en s'apitoyant sur le sort des deux orphelins. En voyant Margaret, qu'elle connaît bien, elle se lève tandis que Lolo s'élance vers son frère. Margaret et Madeline s'embrassent et l'on n'entend plus que leurs sanglots à tous les quatre. Leurs nerfs, mis à rude épreuve, cèdent enfin. On les réunit dans un coin de la salle à manger, on les allonge côte à côte sur des matelas et on les réconforte avec toutes sortes de boissons chaudes, plus ou moins alcoolisées selon l'âge, dans lesquelles on a ajouté quelques gouttes de sédatif.

Les deux enfants, couchés côte à côte, se parlent doucement. Momon réclame leur père et Lolo lui répond :

« Tu comprends, il est mort, c'est Margaret qui me l'a dit! »

Surprise, Margaret se retient d'intervenir dans la conversation des enfants car jamais, au grand jamais, elle n'a dit une chose pareille. Mais aussitôt, elle comprend qu'il faut laisser parler Lolo sans le contredire. Il assume avec sérénité la mort de son père, n'est-ce pas étonnant, miraculeux? Cependant, il poursuit :

« Mort, ça veut dire qu'il est parti au ciel et qu'il est heureux, et il pense à ses petits garçons. En ce moment il nous voit. »

Edmond écoute bouche bée. Il ne comprend pas l'explication de son frère mais sa présence et son ton rassurant le réconfortent et il sourit. Tous deux ne tardent pas à s'endormir.

Le capitaine Rostron transmet immédiatement la liste des rescapés au radio Cottam, qui n'a pas quitté son poste de la nuit. Après consultation de l'équipage et de M. Ismay, Rostron a décidé de rebrousser chemin vers New York. L'*Olympic*, qui fait toujours route vers les lieux du naufrage et n'en est plus très loin, a proposé de prendre tous les rescapés à son bord pour permettre au *Carpathia* de poursuivre sa route. À cette seule idée, Ismay se met à trembler convulsivement. Souffrant d'une dépression nerveuse, il refuse de s'alimenter et de répondre aux questions qu'on lui pose. À vrai dire, la proposition de l'*Olympic* a quelque chose de cauchemardesque : comment infliger aux rescapés la vision d'un paquebot tout pareil à l'autre sans mettre en danger leur équilibre mental ? À l'unanimité, les passagers consultés choisissent de faire demi-tour. Avant de mettre le cap sur New York, le capitaine Rostron fait faire par acquit de conscience une inspection des lieux du naufrage. Une multitude de matelots fouille la surface de la mer avec des jumelles. Partout, à perte de vue, des épaves et des cadavres flottant au gré des eaux. Personne ne peut avoir survécu si longtemps à un froid pareil. À huit heures cinquante, après un bref service divin pour les morts, le *Carpathia* file vers New York.

Trois heures plus tôt, le commandant en second du *Californian*, inquiet au sujet du navire disparu, a éveillé Evans, le radio, qui a repris son poste. Il capte la nouvelle suivante, envoyée par le *Mount Temple* : « Savez-vous que le *Titanic* a heurté un iceberg et est en train de couler ? » La détresse d'Evans est indescriptible. Si seulement il s'était couché une demi-heure plus tard, le *Californian* aurait pu porter secours au titan en détresse! Et les messages affluent, augmentant son désespoir : coulé, à une dizaine de milles à peine du *Californian*[1]!

Le commandant Lord fait établir la communication avec le *Carpathia*. Rostron le prie de rester dans les parages du naufrage et de repêcher tous les cadavres trouvés sur son chemin.

Cependant, à bord du *Carpathia*, la vie s'organise. Tous les passagers sont maintenant au courant de la catastrophe. Nombre d'entre eux ont effectivement cédé leur cabine aux naufragés. Lorsque les rescapés ont pris quelques heures de repos, on les conduit dans leurs nouveaux quartiers tandis que l'on libère les salles à manger qui font également office de salons. En effet, tous les autres lieux publics sont réquisitionnés et transformés en dortoirs. Les passagers donnent spontanément une partie de leur garde-robe aux survivants, un peu réconfortés par tant de chaude compréhension.

Bride dort depuis une dizaine d'heures lorsque, en fin d'après-midi, le capitaine vient le supplier de remplacer Cottam, qui a travaillé durant trente heures d'affilée et dont les nerfs commencent à craquer. Bride a eu les pieds gelés et ne peut marcher. On le transporte jusqu'à la cabine radio où il se remet au travail comme s'il était en parfaite santé. Un travail épuisant car

---

1. À partir de ce jour de tragique mémoire, il devint de règle que chaque navire aurait au moins deux radiotélégraphistes à son bord, se relayant vingt-quatre heures sur vingt-quatre.

le monde entier veut des détails et les télégrammes privés affluent. On veut surtout connaître la liste des survivants. Mais Bride, qui a capté le télégramme suivant, envoyé par la compagnie Marconi : « Tiens ta langue, nous nous occupons de tout ici, une somme confortable pour toi si tu te tais jusqu'à l'arrivée[1]! », refuse de la communiquer.

Miss Hays et ses enfants adoptifs ont reçu l'une des plus belles cabines du bateau. Le lendemain matin, ils font plus ample connaissance. Margaret est à l'affût de tout indice permettant de retrouver la piste de leur mère. Ils viennent du sud de la France, c'est certain, et ils ont reçu une excellente éducation : ils réclament leur bain tous les jours, se tiennent bien à table, y compris le plus petit, dans la mesure de ses capacités.

À la salle à manger, Mag et les enfants déjeunent en compagnie de Madeline Astor. Même sur le *Carpathia*, Madeline reste très isolée de la petite colonie des millionnaires, M. et Mme Harper et leur pékinois, Mmes Thayer, Widener, Carter, Smith, qui sont réunis à une table voisine conti-

---

1. Effectivement, il recevra du *New York Herald* 2 500 dollars (douze ans de salaire !) pour son reportage exclusif. En attendant, des centaines de familles parmi les moins fortunées resteront sans nouvelles des leurs jusqu'à l'arrivée du *Carpathia* à New York le jeudi 18 avril au soir, quatre jours après le drame !

2. Le scandale ne l'épargnera pas dans les jours à venir. Lorsqu'on ouvre le testament de John, l'on apprend qu'elle hérite de toute sa fortune à la condition expresse de ne jamais se remarier, clause dont toute la presse nationale et internationale fait des gorges chaudes. Le 9 mai, *Le Matin* titre, en première page : « Condamnée à un veuvage doré ! » On peut même y lire les vers suivants : « Dieu des tempêtes, Adamastor, Tu fis bien d'engloutir Astor ! »

nuent de la considérer comme une intruse[2]. La jeune veuve souffre beaucoup de l'état d'esprit qui règne autour d'elle. Elle se défend comme elle peut, c'est-à-dire mal. Mag lui a proposé de se joindre à leur petit groupe de convives, composé de Mme Fustrelle dont le mari a péri durant le naufrage, et des voisins de cabine de Michel sur le *Titanic*, Albert et Sylvia Caldwell, qui ont eu la chance de pouvoir embarquer ensemble à tribord dans un canot à moitié vide.

Madeline décrit à Margaret le père des deux enfants : il parlait au moins quatre langues, si bien qu'il était difficile de deviner sa nationalité. Il était peut-être allemand. Les Caldwell n'en savent pas plus que Madeline. Questionné, Lolo affirme que son père était français. Hoffmann? Ce nom ne lui dit rien. Sans se faire prier, l'enfant évoque sa mère et leur jolie maison où vivent aussi leurs grands-parents qui leur parlent l'italien. Il explique que leur père avait quitté le domicile familial depuis quelque temps et venait les chercher tous les dimanches pour une promenade.

Au dessert, le capitaine Rostron vient s'asseoir à leur table. Et avec lui, tous les survivants qui, de près ou de loin, sont susceptibles de pouvoir fournir un renseignement sur le père des enfants : Jack Thayer, les Harper, Björn Steffanson, Hugh Woolner, le colonel Gracie et Pierre Maréchal. Mme Thayer et Mme Widener insistent sur le fait que Michel Hoffmann semblait au mieux avec Lord Bedford et W.T. Stead, tous deux disparus. Michel Hoffmann était un homme discret, spirituel, qui observait beaucoup et ne parlait guère, si bien que personne ne sait rien de précis sur lui, sinon qu'Isidor Straus lui avait proposé d'ouvrir dans ses magasins de New York un rayon de prêt-à-porter haute couture.

Après le déjeuner, Lolo et Momon sont invités à se rendre à la passerelle où le capitaine Rostron les questionne avec ménagement. Mag et Madeline les accompagnent. Lolo serre contre lui son frère qui a perdu sa bonne humeur et considère avec inquiétude ces visages étrangers. Momon éclate en sanglots. Lolo se borne à avaler sa salive et à regarder Margaret d'un air pathétique – elle lui prend aussitôt la main –, et Lolo peut enfin répondre au capitaine.

« Sur le *Titanic*, nous avions beaucoup d'amis : mon parrain Charles, le vieux monsieur journaliste ami de Charles, et puis Trevor, Olaus et Mirella. Trevor m'emmenait souvent à la cabine radio.

— C'est curieux, dit Madeline qui se souvient de la scène du train, la première fois que j'ai vu cet enfant, c'était dans le train spécial pour Southampton. Puisque le père est français, pourquoi n'a-t-il pas embarqué à Cherbourg ?

— Oui, c'est étrange, reprend Margaret. Quant à moi, j'ai fait sa connaissance à bord du *Fécamp*. Je devais faire quelques emplettes à Londres avant le départ, c'est pourquoi je n'ai pas pris le bateau à Cherbourg. Peut-être est-ce aussi le cas de son père !

« — Et avant le bateau, Lolo quel moyen de transport avez-vous pris?

— Le train. Un très beau train où nous avons dormi toute la nuit et mangé plusieurs fois. »

Au même moment, Bride arrive, soutenu par deux marins, accompagné de Boxhall et Lightoller.

« Oh! Qu'est-ce que tu t'es fait? Tu as mal? s'écrie Lolo en voyant les énormes pansements à ses pieds.

— Tiens, le petit Lolo! Quel plaisir de te voir là! »

Lolo court l'embrasser.

Lightoller, Boxhall et Bride rassemblent leurs souvenirs concernant la famille Hoffmann. Les officiers ont aperçu Lolo à la passerelle de commandement en compagnie de l'ingénieur Andrews qui l'a confié à Murdoch; Boxhall se rappelle que Murdoch et lui-même ont montré au petit la carte de l'Atlantique et le chemin suivi par le *Titanic*.

« Oui, et ensuite le commandant Smith m'a pris dans ses bras!

— C'est exact, dit Boxhall, et Murdoch l'a raccompagné à sa cabine. »

Bride intervient :

« Je n'ai jamais rencontré M. Hoffmann mais il y a ici quelqu'un qui le connaît bien, je crois, M. Beesley. Peut-être pourra-t-il vous renseigner. »

Il y a un silence. Les regards se portent sur Lolo, en proie à une émotion intense qu'il ne comprend pas : tous les souvenirs refoulés se pressent à la porte de sa conscience. Il ne leur laisse pas franchir la porte mais cette mystérieuse lutte intérieure l'épuise. Il est livide, les larmes ruissellent malgré lui sur ses joues et provoquent la compassion générale.

Le capitaine Rostron réfléchit sans rien dire. Tout le monde se tait et le regarde. Soudain il prend une décision :

« Tu es un garçon très courageux, Lolo. Nous allons te décorer ! Seulement, il ne faut plus pleurer ! C'est un grand honneur tu sais ! Allons, sèche tes larmes ! Debout ! »

Le capitaine donne un ordre à un matelot qui part en courant. Lolo lève son petit visage couvert de traces noirâtres. Bride sort son mouchoir.

« Attends que je te nettoie la figure ! »

Lightoller et Boxhall se sont alignés et se mettent au garde-à-vous. Le matelot est revenu et présente une boîte ouverte où le capitaine Rostron prend une décoration qu'il accroche gravement sur la poitrine du petit garçon en disant d'un ton solennel :

« Lolo, je te décore de la médaille du courage ! N'oublie jamais que tu dois en rester digne ! »

Le capitaine, les officiers et les marins présents font de même, puis rompent les rangs. Lolo, qui n'a pas encore eu le temps de comprendre ce qui lui arrivait, est porté en triomphe à travers la salle à manger. Les dames qui ont assisté à la scène applaudissent. Les fantômes des amis disparus imprudemment évoqués s'évanouissent et bientôt un pâle sourire revient sur les lèvres de l'enfant.

Lawrence Beesley, que l'on a fait chercher, est un être sensible, parfaitement capable d'imaginer ce que représente pour Lolo l'évocation des chers morts du *Titanic*. Il dit au capitaine Rostron qu'il répondra volontiers à ses questions bien qu'il ne sache pas grand-chose, à condition que l'enfant n'assiste pas à la conversation. Tous deux sortent. En fait Lawrence se borne à confirmer ce que les autres survivants ont raconté de leur côté, il ne sait rien du père des enfants, bien que tous deux aient sympathisé.

Ainsi, le lendemain même du naufrage, les petits Hoffmann sont devenus l'attraction générale à bord du *Carpathia*. L'histoire de la « décoration » de ce petit Français orphelin fait le tour du navire en quelques heures. À minuit, les attardés, dans la salle à manger de première et de seconde classe, échafaudent les hypothèses les plus diverses sur l'origine et l'identité des enfants et, le lendemain matin, le capitaine Rostron transmet à Margaret une dizaine de messages, parmi lesquels deux propositions d'adoption! Tous proviennent de riches passagers américains qui offrent une aide financière et Margaret a tout le temps de méditer sur les surprises de la destinée. Ces deux enfants qui, l'avant-veille encore, lui étaient inconnus, elle en est aujourd'hui responsable. Elle a décidé dès à présent de les prendre sous tutelle jusqu'à ce que l'on ait retrouvé leur mère. Elle imagine sans peine l'angoisse de cette pauvre femme privée de ses deux enfants, ignorante de leur sort. Margaret se sent d'autant plus de devoirs envers elle qu'elle s'attache rapidement aux garçons.

ÉPILOGUE

America! America!

Quand le *Carpathia* pénètre dans le port, le jeudi 18 avril au soir, l'excitation des New-Yorkais ne connaît plus de bornes. On va enfin savoir qui a survécu, on apprendra des détails sur la catastrophe! Le mutisme sélectif de la radiotélégraphie à bord du *Carpathia* a enfiévré tous les esprits. Des dizaines de milliers de personnes se sont massées sur les quais de débarquement. Partout, de larges parapluies noirs endeuillent le paysage. Une pluie dense et persistante ruisselle sur les pardessus et les chapeaux melons. De nombreux cordons de police s'efforcent de maintenir la foule dans les limites autorisées, mais ils sont souvent débordés par des groupes d'impatients qui veulent à tout prix se rapprocher du môle. Les femmes ne sont pas les moins entreprenantes et elles se font rudoyer par les policiers exaspérés. Certaines hurlent, hystériques. Leurs maris, leurs fils, leurs filles font partie du personnel de bord ou de l'équipage du vaisseau englouti et elles attendent depuis trois jours le verdict qui, elles ne l'ignorent pas, risque d'être fatal.

Lentement, le navire s'approche, puis manœuvre pour s'amarrer à quai. Anxieuse, la foule attend, muette, les yeux fixés sur les passerelles de débarquement que l'on fait pivoter vers le paquebot. Mais une fois en place, elles restent vides. Tout au plus voit-on de petits groupes d'employés de l'immigration, de douaniers en uniforme, de médecins et d'infirmiers en blouse blanche gravir rapidement la pente et disparaître dans le bateau. Alors, la tension, parmi l'assistance, devient insoutenable. Des hommes, des femmes s'évanouissent. Les cordons de police sont rompus un peu partout et il faut user de la force pour rétablir l'ordre.

Le capitaine Rostron a fait demander par Bride qu'on voulût bien simplifier les formalités d'immigration pour les naufragés et elles ont lieu à bord. Il s'écoule deux grandes heures entre le moment où les services sanitaires et d'immigration montent à bord et où les premiers rescapés apparaissent sur les passerelles. Pour eux aussi, l'épreuve a été dure.

Dès que la statue de la Liberté a été visible, de petites vedettes surchargées de reporters en mal de nouvelles à sensation ont assiégé le *Carpathia*. Chacun veut être le premier à transmettre à son journal le scoop de l'année. Armés de haut-parleurs, les journalistes hurlent leurs questions qui parviennent, déformées, aux passagers du *Carpathia*. Moments insupportables pour les nerfs déjà si éprouvés des naufragés.

Lolo et Momon, debout sur le pont supérieur, les yeux fixés sur cette fameuse statue de la Liberté, œuvre d'un de leurs compatriotes, ont lâché la main de Mag pour se boucher les oreilles. Seuls, ceux que le naufrage du *Titanic* n'a pas endeuillés se réjouissent d'être de retour à New York pour donner enfin de leurs nouvelles à leurs proches. Lawrence Beesley, par exemple, qui se tient près de Margaret en attendant de débarquer, a du mal à cacher sa joie. Il occupe la longue attente à décrire aux enfants la vie à New York, ce dont Miss Hays lui est reconnaissante. Elle redoute le moment fatidique où il faudra affronter ces journalistes indiscrets pour leur parler de l'indicible.

Comment en effet étaler au grand jour, pour les médias en mal de sensations, une expérience aussi épouvantable que celle vécue l'autre nuit? Les rescapés n'en seront-ils pas marqués pour leur vie entière? Les chers morts, flottant sans sépulture dans leurs gilets de sauvetage au milieu des glaces et offrant leurs orbites aux oiseaux, qui peut les remplacer? Pères, mères, grands-parents, oncles, tantes, cousins, amis, toutes ces victimes impuissantes sacrifiées à l'appât du gain, qui peut leur redonner vie? Tous ces jeunes espoirs de l'Amérique, ces étrangers venus apporter leurs talents au Nouveau Monde, n'ont-ils pas aussi été sacrifiés à un mirage, celui de la toute-puissance humaine? Ne vient-on pas d'assister à une réédition du vol d'Icare? Comment exprimer tout cela à la presse? Comment ne pas trouver malsaine la curiosité du badaud, son avidité à connaître le malheur d'autrui? Pourquoi exprimer son chagrin au grand jour?

Avant tout, Mag veut épargner aux enfants une telle expérience. Elle refusera de parler à l'arrivée et tiendra une conférence de presse le lendemain, à condition d'avoir pris connaissance à l'avance des questions, et d'avoir fait un choix. N'étant pas prise de court, Margaret saura se défendre des indiscrétions. Quant à Lawrence Beesley, il a préparé un récit circonstancié du naufrage qu'il communiquera à la presse en refusant d'y ajouter quoi que ce soit.

Le ministère américain de la Marine a envoyé le croiseur *Chester* à la rencontre du *Carpathia* afin d'obtenir plus facilement un contact radio avec lui. En effet, le gouvernement a été terriblement irrité par le manque de nouvelles. Il se considère comme personnellement engagé dans cette affaire et entend garder le contrôle des événements. Ismay, qui veut préserver intacte la réputation de sa compagnie, a fait parvenir par Bride un message chiffré aux bureaux new-yorkais de la White Star Line, demandant qu'on frète le *Cedric* à l'intention des officiers survivants afin de les rapatrier immédiatement vers l'Angleterre. Le *Chester* qui, comme par hasard, ne parvient pas à entrer en contact avec la radio du *Carpathia*, surprend cependant ce message et le transmet au ministère de la Marine. Le gouvernement, se sentant dupé, transmet l'ordre d'assigner Ismay et les officiers en « amicale résidence surveillée » et ordonne la réunion immédiate d'une commission d'enquête. Il est évident qu'on ne peut se passer du témoignage des principaux intéressés.

Du reste, les rescapés à bord du *Carpathia* se sont constitués en un comité de victimes qui a centralisé un certain nombre de témoignages, plus ou moins dignes de foi – comme par exemple celui qui affirme que Murdoch s'est tiré une balle dans la tête peu avant l'engloutissement du *Titanic* ou que le capitaine Smith et l'ingénieur Andrews se sont donné la mort. L'ensemble des témoignages sont accablants pour la White Star Line.

Lorsque, enfin, vient le moment du débarquement, Beesley fait ses adieux aux enfants et à leur protectrice et sort par la plus grande passerelle. Mag en choisit une plus discrète à l'arrière du bateau, espérant échapper à la masse des journalistes. Mais les flashs crépitent et une nuée de reporters à l'affût les assaille. La nouvelle a filtré que deux petits rescapés n'ont pu être identifiés et ont été pris en charge par Miss Hays. On les a aussitôt surnommés les « orphelins de l'abîme ».

« Les voilà ! Miss Hays et les orphelins de l'abîme !
— Miss Hays, veuillez nous faire une déclaration. Quelles sont vos intentions au sujet des enfants ? Les mettrez-vous dans votre orphelinat ? Désirez-vous les adopter ? »

Mag réplique d'un ton tranchant qu'elle ne fera aucune déclaration dans l'immédiat et dicte ses conditions pour une conférence de presse fixée au lendemain après-midi, dans son appartement.

Le vendredi 19 avril au matin, Margaret Hays commande un taxi et conduit les enfants dans l'une des succursales de Macy's. Ici, comme dans de nombreux autres lieux de la ville, les drapeaux sont en berne, les employés commentent tristement la mort de M. et Mme Straus qui étaient connus et aimés de tous. Et l'on fait de même à l'hôtel Waldorf Astoria, dont John Astor était si fier, dans une dizaine de théâtres de Broadway appartenant à Harris, sous le chapiteau du cirque Barnum and Bailey, ou encore dans les gares où deux compagnies ferroviaires portent le deuil de leurs propriétaires, Charles Hays et John Thayer.

L'arrivée de Margaret et des enfants passe d'abord inaperçue. Lorsque l'un des vendeurs reconnaît les petits Français qui font la une de tous les journaux, il informe aussitôt ses supérieurs, qui préviennent le gérant. Deux heures plus tard, Lolo et Momon sortent de Macy's munis d'un trousseau complet, contenu dans deux grands sacs de cuir et offert par la direction.

Lolo et Momon sont enthousiasmés par la découverte d'un grand magasin américain : ils ont été promenés de rayon en rayon par un vendeur, ont choisi ce qu'ils préféraient parmi des dizaines d'articles, sont passés de bras en bras, toutes les dames du département du prêt-à-porter voulant les voir, les embrasser. Puis, au rayon des jouets, Momon, qui ne se consolait pas de la perte de son modèle réduit du *Titanic*, coulé en même temps que le grand, a jeté son dévolu sur un vapeur presque aussi joli. Lolo a choisi une automobile, une Chrysler noire rutilante, aux aciers chromés, conduite par un chauffeur en livrée comme ceux qu'il a aperçus dans le garage du *Titanic* en compagnie du steward. Pendant ce temps, la vendeuse racontait à Miss Hays la triste épopée de Mme Alfred Hess, la fille des Straus.

Elle était partie le 15 avril après-midi à bord d'un train spécial à destination de Halifax, frété par la White Star Line à l'intention des journalistes qui devaient assister à l'arrivée de l'épave du *Titanic*, soi-disant remorquée par l'*Olympic*. Tout d'abord, elle découvrit avec amusement qu'elle était la seule femme dans tout le train. Les reporters plaisantèrent durant tout le voyage à propos de l'insubmersible *Titanic*, le plus beau vaisseau du monde, qui trouvait moyen de se faire remorquer par son aîné de quelques mois, l'*Olympic*, dès son premier voyage! Soudain, pour une raison mystérieuse, le train s'arrêta en rase campagne. Vers vingt heures, il repartit en sens inverse. Le bruit courut que le *Titanic* avait coulé, mais personne n'y accorda foi. C'est seulement vers minuit, à la gare, beaucoup plus tôt du reste que la majorité des parents de victimes, que Mme Hess apprit la mort de ses parents et le comportement héroïque de sa mère…

Après la magique équipée chez Macy's, Mag propose aux enfants une promenade en taxi à la découverte de New York. Lolo, émerveillé, n'en croit pas ses yeux : les immeubles, ici, portent vraiment bien leur drôle de nom : des gratte-ciel. Il faut se tordre le cou pour apercevoir un coin de ciel bleu tout en haut des maisons. Après la visite du quartier des affaires, à la pointe de Manhattan, le taxi se dirige vers Greenwich Village où les maisons ressemblent un peu à celles de Nice, affirme Lolo. Sans doute à cause de leur taille plus humaine. Lolo et Momon se retrouvent bientôt en terrain familier dans un restaurant français où tout le monde se met aux petits soins pour les « orphelins de l'abîme ». Puis l'on reprend le taxi qui attend toujours : Margaret ne regarde pas à la dépense. Lolo a été médusé la veille au soir quand un maître d'hôtel très stylé l'a servi dans de la vaisselle d'or !

La jeune femme et les petits garçons supportent assez bien la séance qui suit avec les journalistes. Mais quel soulagement à leur départ ! La soirée se passe agréablement en bavardages à bâtons rompus. Momon lui-même semble mûri : il s'exprime mieux, renonce progressivement à son langage personnel et trouve souvent le mot juste. Mag l'en félicite. Leur mère sera si contente de voir son bébé devenu un grand garçon !

Maman, il n'est question que d'elle ! Margaret, à l'affût de tout indice permettant de la retrouver, ne cesse d'orienter la conversation sur ce sujet. Et les enfants se plaisent à évoquer leur univers familier, rassurant, qui noie dans l'oubli les souvenirs plus récents. Néanmoins, Lolo parle souvent de son père. Il commence ses phrases par : « Quand papa était là… » Quand ce soir-là, en faisant sa prière pour son pauvre papa, il éclate en sanglots, Margaret, émue, lui tient la main jusqu'à ce qu'il s'endorme. Puis elle se retire dans sa chambre et commence à réunir, dans un grand cahier, les morceaux du puzzle Hoffmann actuellement en sa possession.

Elle lit, relit et classe l'abondant courrier reçu dans la journée. Les dépêches se sont succédé sans interruption. Plus de trente propositions d'adoption en l'espace de vingt-quatre heures! « Étrange, se dit-elle. Y a-t-il aux États-Unis tant de couples sans enfants, qui souffrent de carence affective? Ou bien ce bel élan est-il intéressé? » Toute la liasse de lettres est logée dans une mallette en paille tressée sur laquelle Mag a fait inscrire le nom de Mme Hoffmann, seule habilitée à prendre une décision les concernant. Margaret se met au lit, convaincue qu'elle retrouvera la mère des petits.

*
* *

Six longs jours de désespérance se sont écoulés, n'apportant pour Marcelle aucun éclaircissement sur le sort de ses enfants disparus.

Le 21 avril vers huit heures, Marcelle se repose encore après une nuit sans sommeil lorsque son beau-père et sa mère entrent en coup de vent dans sa chambre et ouvrent les volets sans ménagement. Angelina, qui sanglote éperdument, pose sur son lit *Le Figaro* du matin.

« Ouvre le journal à la deuxième page, vite! » commande Antonio.

Marcelle, toute tremblante, déploie le quotidien et découvre, en deuxième page, une photo en pied de Lolo et Momon prise à New York, aux magasins Macy's, intitulée « Les Orphelins de l'abîme ». Ses petits sont sains et saufs, ils sont retrouvés! Non, il doit y avoir une erreur, comment se trouveraient-ils à New York? Haletante, elle dévore l'article, une fois, deux fois, dix fois! Son cœur bat la chamade. Elle n'entend même pas les bruyants sanglots de sa mère et ses exclamations. Elle doit avoir la certitude qu'il s'agit bien de ses enfants avant de pouvoir se réjouir. Elle ne supporterait pas de s'être trompée. La photo, examinée attentivement, montre Momon assis sur un fauteuil, un transatlantique miniature à la main, et Lolo, debout, tenant le fauteuil de la main droite, souriant avec naturel. Tous deux semblent en bonne santé.

Soudain, Marcelle se sent libérée de cette atonie qui la vidait d'elle-même. Un grand soleil dans le cœur, elle regarde ses parents pleurer de joie. Son soulagement est si intense qu'elle peut enfin laisser libre cours à ses larmes dont pas une n'a coulé depuis la disparition de Michel et des enfants.

Le premier moment d'émotion passé, Marcelle lit l'article suivant :

« Le correspondant du *Daily Chronicle* raconte que sept bébés de moins de deux ans ont été débarqués du *Carpathia*.

« Personne ne sait où sont leurs pères ou leurs mères. Ils ont été jetés dans les bateaux de sauvetage, probablement par les parents eux-mêmes qui ont péri, et leurs vêtements ne portent aucune indication. »

« Deux autres petits enfants, des Français, qui ne connaissent que leurs prénoms "Louis[1]" et "Momon" et qui sont âgés respectivement de deux ans et quatre ans, ont été recueillis par Miss Hays, l'une des survivantes. Il semble qu'ils étaient accompagnés par un passager de seconde classe nommé Hofmann. »

Le Petit Niçois consacre également la page titre et de longs articles aux rescapés du *Titanic* dont on vient seulement de connaître la liste. Pendant que Marcelle se prépare, Antonio court acheter toute la presse parue ce matin-là. La photo des enfants se retrouve dans plusieurs quotidiens. On recherche leur mère. Partout les surnoms des enfants sont écorchés. Que Michel ait pris pour pseudonyme le nom de son ami, cela n'étonne pas vraiment Marcelle, mais pourquoi l'avoir orthographié avec un seul f[2]?

À dix heures, Marcelle se rend au consulat américain de Nice et sollicite d'urgence une entrevue. Elle est reçue à onze heures et à treize heures partent deux dépêches, l'une destinée au consul de France à New York, Étienne Lanel, l'autre à l'agence Havas à Paris.

---

1. Il est probable que lorsque l'on questionna Lolo à bord du *Carpathia* à propos de son nom, on interpréta son surnom comme le diminutif du prénom Louis.

2. La faute d'orthographe faite par la compagnie sur le nom d'Hoffmann orthographié Hofmann sera lourde de conséquences. Le corps de Michel, retrouvé puis emmené à Halifax, a été inhumé en même temps que de nombreuses victimes du naufrage, mais dans la partie israélite du cimetière, ce qui compliquera sérieusement son identification. Marcelle devra déployer d'énormes efforts pour prouver que la personne enterrée à Halifax sous le nom de Hofmann était bien son époux Michel Navratil.

À la sortie du consulat, Marcelle, appuyée au bras de son beau-père Antonio (elle a refusé que Rey de Villarey l'accompagne), tremble de tous ses membres. Deux sentiments opposés, d'une extrême violence, la secouent : la joie de savoir ses enfants en sécurité et le désespoir de voir que son rêve ne l'a pas trompée et que Michel est réellement mort.

Maintenant qu'elle est fixée, elle se sent tellement partagée entre le bonheur et la douleur qu'elle a l'impression que sa personnalité se dédouble. La mère en elle éprouve une joie immense et se sent prête à tout entreprendre pour récupérer ses petits. L'épouse séparée de Michel est convaincue que son infidélité est la cause de la mort du mari délaissé. Elle oublie les causes de leur séparation, l'opposition de leurs caractères, de leurs goûts, de leurs aspirations. Elle oublie les insupportables scènes quotidiennes à la maison entre sa mère et son mari, que la vieille dame ne laissait jamais en paix. Elle ignore également que leurs problèmes conjugaux n'ont pas été la seule cause du départ de Michel mais aussi son immense désir de refaire sa vie professionnelle en Amérique et d'élever les enfants comme bon lui semblait. La pauvre Marcelle s'estime coupable de la mort de Michel.

Le 23 avril, Mme Navratil se rend au consulat pour répondre à des questions concernant les enfants. Une nouvelle épreuve l'attend. Le consul est chargé d'établir l'identité de la mère des « orphelins de l'abîme », et visiblement Marcelle devra se battre pour faire triompher la vérité. Elle est longuement interrogée sur ses enfants, son mari, sa carrière. Il lui faut dévoiler au grand jour ce qu'elle aurait tant aimé garder pour elle : que son mari était un ravisseur d'enfants. Elle doit donner les raisons qui, selon elle, ont déterminé Michel à enlever ses propres fils. Sa pudeur en souffre beaucoup.

Au bout de deux heures d'entretien, le consul conduit Marcelle dans un petit salon où l'on sert le thé et la jeune femme aperçoit, parmi les six personnes qui se trouvent là, ses parents, le marquis Rey de Villarey auquel Angelina tourne ostensiblement le dos, ainsi que Michel Hoffmann et son épouse Emma, revenus la veille de leur voyage à Paris. L'autre personne est un secrétaire du consulat chargé de dresser le procès-verbal de l'entretien.

Après quelques échanges de vues chaleureux où l'on évoque en particulier les affres endurées par Marcelle depuis la disparition de ses fils, l'on s'efforce de reconstituer les faits dans leur chronologie. La faillite de Michel vient au centre de la conversation. Le plus étonnant, dans cette affaire, a été la soudaineté avec laquelle, quand rien n'était encore perdu, Michel Navratil a déposé son bilan et offert à Michel Hoffmann de prendre l'affaire à son compte. Du véritable sabotage !

Hoffmann révèle que Michel lui a emprunté son passeport sans lui donner la moindre explication. C'est du reste l'élément le plus important de l'enquête car il permet de comprendre le choix du pseudonyme sous lequel Michel Navratil a voyagé.

Les deux hommes se ressemblent un peu, ils portent le même prénom, ils ont la même origine.

Enfin, il est question de la dernière journée de Michel à Nice. Le consul demande à Marcelle si les enfants ont reçu un œuf de Pâques. Non, pas d'œuf, répond-elle, mais une poule en chocolat, piquée de vraies plumes rousses et blanches, qui couve des œufs en sucre contenant des poussins jaunes en pâte d'amande. Cette réponse très précise et plusieurs autres, comme le signalement de croûtes de lait sur l'épiderme de Momon, concordent en tout point avec l'observation et le témoignage des enfants au consulat de France à New York, dont on a envoyé le procès-verbal par dépêche, la veille au soir. Le consul identifie donc officiellement Marcelle Caretto, épouse Navratil, comme la mère des deux « orphelins de l'abîme ». Le résultat de l'enquête est aussitôt communiqué à Étienne Lanel et à l'agence Havas.

Dès le lendemain, la nouvelle s'étale en première page de tous les journaux d'Europe et des États-Unis : « Les orphelins de l'abîme identifiés. Leur mère retrouvée. » Deux jours plus tard, Marcelle reçoit de la part de la White Star Line un billet d'aller pour une personne, en seconde classe, sur l'*Oceanic* ainsi que trois billets de retour. Elle doit encore patienter deux semaines car le transatlantique appareillera le 8 mai à Cherbourg. Si tout va bien, il quittera New York le 18 pour ramener les trois Navratil vers la France, la mère et ses deux enfants.

Le lendemain matin, le facteur apporte une lettre

d'Angleterre. Marcelle la prend avec une intense émotion dont elle-même s'étonne. L'enveloppe n'est pourtant pas bordée de noir! Elle est toute chiffonnée, plus grande que la moyenne et calligraphiée par une main malhabile. L'adresse, des plus succinctes, porte : « Madame Navratil, mère des orphelins de l'abîme, Nice, France ». Marcelle hésite à l'ouvrir. Enfin, le cœur battant, elle se décide. À l'intérieur de l'enveloppe, il y a un mot, visiblement copié par quelqu'un qui ne comprend pas le français. Et puis il y a une lettre de Michel. Posthume. Marcelle se sent défaillir. Elle reste durant quelques minutes sans pouvoir bouger, dans son fauteuil, les deux lettres à la main, le cœur battant, le souffle court.

Enfin, la jeune femme se sent mieux et trouve la force de lire la première lettre.

Madame,

Vous ne me connaissez pas. Je vis à Londres et une connaissance à moi a bien voulu traduire ma lettre. Je suis très honteuse car sans le savoir, je vous ai causé beaucoup de souffrance. Votre mari m'a donné cette lettre pour que je la poste mais elle est tombée par terre, il pleuvait très fort et l'adresse, mouillée, est devenue illisible. Je l'ai rangée dans un tiroir et hier, je l'ai aperçue. J'ai eu l'idée de l'ouvrir et j'ai compris quel mal je vous avais fait! En lisant le journal, j'ai vu votre nom et appris qui vous étiez. Je suis très triste de votre malheur.

Je vous demande pardon.

Sincèrement vôtre.

La signature est illisible.

Un moment se passe, d'une insupportable intensité. Ainsi, ses trois rêves ont été doublement prémonitoires. Michel lui a réellement écrit avant de s'embarquer, et maintenant cette lettre est entre ses mains… Lentement, religieusement, Marcelle décachette la deuxième enveloppe. On voit bien qu'elle a été soigneusement recollée. Elle prend le feuillet où s'arrondit l'écriture familière et, les larmes ruisselant sur son visage, elle lit :

Ma chère Marcelle,
À l'heure où tu recevras cette lettre qui mettra fin, je pense, à ton inquiétude, nous serons arrivés à New York. Je ne cherche pas à atténuer ma faute. J'ai trahi ta confiance en t'enlevant nos deux enfants. Je sais que leur disparition aura été pour toi un calvaire. Mais si je t'avais prévenue de mes intentions, tu ne m'aurais jamais laissé faire. J'espère que ta douleur a été adoucie par la présence de tes amis.

Tu as quelqu'un d'autre dans ta vie, nous ne nous entendions plus, il fallait que je parte. J'ai emmené Lolo et Momon en Amérique où je veux refaire ma vie car comme tu le sais déjà, je veux former moi-même les enfants après leur scolarité et en faire plus tard mes associés. Je t'enverrai nos coordonnées dès que je le pourrai, il me faut le temps de trouver un travail et un gîte.

Je t'embrasse.
Michel.

Marcelle sanglote, prenant garde toutefois à ne pas mouiller une deuxième fois la lettre qu'elle tient loin d'elle. Les petits caractères dansent devant ses yeux. Elle se rend compte combien elle a aimé Michel. La vie avec lui n'était plus possible, cela, elle en est sûre. Mais quelle fatalité l'a poussé à voyager sur le *Titanic*?

8 mai. Marcelle va et vient pensivement sur le pont-promenade de l'*Oceanic*, que la presse à sensation, avec le goût exquis qui la caractérise, a surnommé le « bateau des veuves ». Le paquebot vient de prendre « l'angle » pour éviter les icebergs. L'océan vert en perpétuelle mouvance la fascine : il est vivant, il obéit à de mystérieux desseins. Il a absorbé le *Titanic* au fond de ses abysses. Le regard de la très jeune femme (elle n'a que vingt ans!) s'égare vers le large. Tout en bas, très loin, au fond de l'abîme repose peut-être Michel. Marcelle, solitaire, cherche à se représenter l'horreur de cette nuit glaciale. Soudain l'écho fantôme de mille cris assourdis lui semble sortir de la mer. Ce sont les centaines de victimes qui hurlent dans l'eau glacée. Michel a-t-il crié lui aussi? A-t-il tenté de nager jusqu'à un canot? Elle l'ignorera toujours. Elle se bouche les oreilles. Deviendrait-elle folle? Hallucinée, elle scrute la surface grise et mouvante. L'envie de passer par-dessus bord, de rejoindre les naufragés qui semblent l'appeler la saisit. Ce serait si simple. Elle sauterait, son corps irait rejoindre celui de son mari, dans les grands

fonds et sa faute serait expiée. Alors il lui semble entendre la voix de Lolo et de Momon qui l'appellent. Les voix fantomatiques s'estompent, Marcelle retient le geste esquissé et s'enfuit dans sa cabine.

Le cœur de Marcelle bat violemment lorsque, l'après-midi du 14 mai, l'*Oceanic* parvenu à bon port longe l'île de Bedloe. La gigantesque statue de la Liberté domine le bateau d'une trentaine de mètres. Marcelle contemple le flambeau symbolique et songe à Michel, qui ne le verra jamais. Déjà, elle peut distinguer, au loin, sur l'île de Manhattan, les prestigieux gratte-ciel de la métropole. Oui, c'est bien le Nouveau Monde, mais elle préfère l'ancien où elle a ses racines. Elle n'éprouve qu'un désir : reprendre ses enfants et repartir aussitôt. Deux jours sur la terre d'Amérique, cela lui serait amplement suffisant.

Le visa de séjour lui est délivré automatiquement à sa descente du navire. Marcelle cherche des yeux ses enfants, ils doivent l'attendre avec autant d'impatience qu'elle, le moment des retrouvailles est enfin arrivé ! Mais elle est accueillie par une jeune femme avenante, toute blonde, son chignon plein de mèches folles, dont les yeux verts étincellent d'excitation.

« Madame Navratil ? Je suis Margaret Hays ! »

Marcelle lui tend les bras, toutes deux s'étreignent longuement, sans un mot, puis se dévisagent. On ne peut imaginer beautés plus différentes, la septentrionale et la méridionale, et se faisant mieux valoir l'une l'autre. Marcelle a une ample masse de cheveux souples et noirs relevés en un majestueux chignon bas. Ses traits réguliers et harmonieux sont tendus, tirés par l'anxiété et son teint clair a aujourd'hui une pâleur extrême. Son regard exprime une interrogation profonde sur le sens de la vie, un étonnement enfantin devant l'implacable destin qui vient de frapper sa famille. Mag lui sourit avec tant d'amitié que Marcelle a l'impression de la connaître depuis longtemps.

« Où sont mes enfants? demande aussitôt la jeune mère.

— Un peu de patience, vous les verrez bientôt. »

Les journalistes et les photographes qui attendent un peu plus loin, massés en troupeau, rompent soudain le cordon de police. Marcelle et Margaret sont entourées, mitraillées par les flashs, les questions fusent, chacun crie plus fort que son voisin, c'est insupportable. Marcelle regarde autour d'elle d'un air suppliant, puis met la main sur ses yeux et se recroqueville sur elle-même. Le consul de France à New York, Étienne Lanel, et Walsh, le directeur de la Children's Aid Society[1], qui se sont tenus jusque-là à distance par respect pour les deux jeunes femmes, s'avancent alors avec détermination et prient vigoureusement les journalistes de bien vouloir les laisser tranquilles. Une conférence de presse

---

1. La Children's Aid Society joua un rôle déterminant dans l'histoire des Navratil. Ce fut elle qui prit la responsabilité de surveiller la rencontre entre la mère et les enfants, elle qui protégea Lolo et Momon contre une adoption trop hâtive par une famille américaine. Les archives concernant leur séjour en Amérique ont pu être consultées à la société et ont beaucoup aidé à la reconstitution des événements.

est prévue le lendemain à quatre heures, au siège de la société. Mme Navratil ne dira rien aujourd'hui. Le consul se présente, prend le bras de Marcelle et entraîne rapidement le petit groupe vers un taxi garé un peu plus loin sur le quai.

« Comme nous avons encore un certain nombre de formalités à remplir avant de vous rendre vos enfants, explique Étienne Lanel dans le taxi, nous avons pensé qu'il serait préférable que vous ne les voyiez que demain. La rencontre est arrangée pour dix heures, à la Children's Aid Society. »

Quelle société ? se demande Marcelle, sur le point d'éclater en sanglots. Comment peut-on l'obliger à attendre un jour encore avant de revoir ses enfants ? N'a-t-elle pas assez souffert comme cela ?

M. Walsh explique à Marcelle que la Children's Aid Society a besoin de vérifier tous ses dires et de la confronter publiquement à ses enfants avant de les lui rendre, pour ne pas prendre le risque d'une erreur irréparable. Marcelle est révoltée à l'idée qu'une scène aussi intime que les retrouvailles entre une mère et ses enfants doive avoir lieu devant des étrangers. Mais elle est en même temps reconnaissante à l'institution de ne pas prendre le risque de remettre ses enfants à une simulatrice.

Durant son séjour à New York, Marcelle est logée par la White Star Line à l'hôtel Waldorf-Astoria qui est maintenant la propriété de Madeline Astor. Ce soir, explique Margaret, elle pourra prendre connaissance de tout le dossier concernant Lolo et Momon, en particulier des propositions d'adoption venues de l'Amérique entière. Des propositions d'adoption? Bien sûr que non, Marcelle ne les lira pas, elle ne veut même pas en entendre parler! Mais si, insiste Mag, il faut lire toutes les lettres, ouvrir tous les colis! Il en va de l'intérêt des enfants. Il y a plusieurs offres d'argent et des dons en espèces, anonymes le plus souvent. Mais Marcelle affirme sa détermination de ne lire aucune lettre, de n'ouvrir aucun colis.

Pourtant, une fois dans sa luxueuse chambre d'hôtel où l'attend un magnifique bouquet de fleurs printanières avec un mot de bienvenue signé de Madeline, Marcelle, ne pouvant résister à la curiosité, ouvre la mallette d'osier que Mag a fait porter dans sa chambre et l'après-midi file comme l'éclair. Elle prend plaisir à lire toutes ces lettres, souvent très touchantes, qui la distraient de son chagrin. L'une d'elles, écrite en français, dit textuellement :

« La sympathie que je ressens à votre égard et à celui des enfants est véritablement sincère. Je ne suis pas n'importe qui. Mes ancêtres débarquèrent en Amérique en 1658. Depuis ce temps-là, nous sommes restés français de cœur et d'esprit. Le mien bat plus vite lorsque j'entends le nom de la France. Vous me feriez le plus grand plaisir si vous vouliez consentir à me recevoir! Puis-je espérer cette faveur? Ne téléphonez pas car notre garçon de téléphone est vraiment stupide! »

Marcelle reste rêveuse. Ainsi, pendant qu'elle voyageait, solitaire à travers l'Atlantique et qu'elle voguait sur les lieux du désastre, des gens pensaient à son chagrin et lui écrivaient! Elle commence à regretter de devoir repartir aussi vite. Tout en faisant ces réflexions, elle ouvre la lettre suivante, qui adopte un tout autre ton :

« J'ai suivi pas à pas votre terrible calvaire! Vous avez traversé l'océan et vous avez certainement besoin d'autre chose que de simples protestations d'affection! » Tiens, voilà un monsieur qui cherche une aventure, cela devient drôle! « Si vous désirez rester à New York, je suis en mesure de vous offrir un poste qui vous rapportera un confortable revenu et une situation extrêmement brillante! » Ce doit être un banquier ou un magnat du pétrole! « Je suis d'avis que l'expression de ma profonde sympathie, suscitée par les sentiments que j'éprouve pour vous, mériterait d'être jugée autrement que sur de simples paroles. Je vous prie d'embrasser les enfants de ma part. » Et en quel honneur?

Marcelle laisse tomber la lettre par terre et est prise d'un fou rire nerveux.

Lorsque ses nerfs sont un peu calmés, elle reprend sa lecture, tout en se jurant bien de ne plus se laisser attendrir par personne. Le temps passant, sa colère grandit. À tel point qu'elle refusera l'intégralité des chèques parvenus à son nom!

« Je suis en mesure de subvenir moi-même aux besoins de ma famille, je n'accepterai aucun don de personne! Je ne veux pas qu'on nous fasse la charité. »

Après le dîner, en tête à tête avec Mag qui a laissé les enfants endormis sous la surveillance de sa femme de chambre, Marcelle pose à la jeune femme d'innombrables questions sur le naufrage, les réactions des enfants, la somme des souffrances endurées. Margaret raconte comment Lolo a commencé par tout voir, tout comprendre, ses supplications pour que le canot retourne sur les lieux du naufrage afin que l'on sauve son père, et puis son oubli salutaire des faits, partiel après son sommeil dans le canot, et presque total à bord du *Carpathia*.

« De quoi est mort Michel? S'est-il noyé, ou est-il mort de froid?

— De froid. Le *Mackay-Bennett* a repêché son cadavre cinq jours plus tard. Il flottait, grâce à son gilet de sauvetage. Il est enterré à Halifax avec une centaine d'autres personnes que l'on a pu embaumer après les avoir retirées de l'eau. Les autres corps ont été immergés. »

Marcelle se sent soulagée. Elle préfère savoir son Michel enterré dans un cimetière que livré pour l'éternité aux grands fonds de l'océan.

En ce matin du 15 mai, Lolo et Momon tremblent d'excitation à l'idée de revoir leur mère. Ils se préparent très vite, aidés de Mag, et c'est impatiemment que, sur le coup de huit heures quarante-cinq, ils pénètrent en galopant dans l'immeuble de la Children's Aid Society, accompagnés par M. Walsh, le directeur, à travers une haie de reporters contenus par un cordon de sécurité qui, faute de mieux, lancent aux enfants des questions sur leur santé :

« Je vais très bien merci, et vous? lance bravement Lolo sans cesser de courir.

— Très bien! » répète Momon en écho. La porte de l'ascenseur se referme sur eux, les débarrassant de cette foule indiscrète. Au quatrième étage, M. Walsh les introduit dans une grande pièce bien éclairée meublée de deux tables. Sur la plus grande sont entassés une montagne de cadeaux venus de toutes les régions des États-Unis. On les expédiera à Nice dans une caisse spéciale, via l'*Oceanic*. Sur la seconde, un petit déjeuner est servi. Dans un recoin, quatre inconnus enfouis dans des fauteuils paraissent absorbés par la lecture de leur journal. Mais rien ne distrait les enfants de leur attente passionnée. Ils jettent à peine un coup d'œil sur les jouets. Où est maman? Pourquoi ne vient-elle pas? Walsh s'efforce de les rassurer. Encore un peu de patience et elle sera là.

De plus en plus anxieux, Lolo et Momon s'approchent de la fenêtre et aperçoivent, tout en bas, un grand attroupement.

« Oh, la voilà, je la vois! crie soudain Momon.

— Où ça, où ça?

— Là-bas, elle descend de la voiture!

— Ah oui! Et il y a Mag avec elle, et le monsieur qui nous a posé tant de questions! »

Alors, contrairement à ce qu'on aurait pu attendre, au lieu de s'agiter et de courir, les deux enfants s'immobilisent, en attente comme des chats, à cinq ou six mètres de la porte. Le temps leur semble une éternité avant qu'elle ne s'ouvre. Les quatre inconnus, convoqués pour être les témoins objectifs des retrouvailles, observent la scène par-dessus leur journal.

Soudain, une silhouette familière apparaît à contre-jour dans l'embrasure de la porte, et derrière elle, Mag et Étienne Lanel. Les deux petits restent sur le qui-vive, puis une femme fait un pas tandis que la porte se referme derrière elle, et les enfants poussent un seul cri :

« Maman ! » tout en courant à sa rencontre.

Marcelle ouvre grands ses bras et les referme sur eux en une étreinte qu'aucun d'entre eux n'oubliera jamais. Ils restent ainsi, sans parler, pendant une minute qui paraît infinie aux témoins de la scène. Marcelle, dans son émoi, les serre contre elle à les étouffer, comme Michel juste avant la séparation. La boucle est bouclée : papa a disparu mais maman est de retour. C'est là, dans l'ardeur de la première effusion, que Lolo transmet avec une émouvante conviction le dernier message de son papa pour sa maman, chuchoté à l'oreille. Puis Lolo murmure à Marcelle cette question qui le tourmente :

« Est-ce que papa t'a fait du mal ? »

Marcelle reste un moment avant de répondre. Puis, lorsqu'elle s'est ressaisie, elle réplique d'une voix tremblante :

« Oui, Lolo, il m'a fait du mal, il ne m'avait pas dit qu'il vous emmenait et je vous ai cherchés par-tout. Mais maintenant, c'est oublié car il a été très bon pour vous. »

Quatre jours plus tard, silhouette isolée en retrait de la foule qui encombre les quais, Mag fixe de toute l'intensité de son regard l'*Oceanic* qui s'éloigne, avec à son bord trois Navratil, jusqu'à n'être plus qu'un point noir à l'horizon. Margaret sent les larmes rouler sur ses joues et ne cherche pas à les dissimuler. Elle revit la terrible épreuve à bord du canot D, l'horrible engloutissement du *Titanic*, elle entend la petite voix courageuse de Lolo criant : « Il faut sauver mon papa! », elle revoit les malheureuses chaloupes dans le matin féerique, en bas du *Carpathia*.

Pour la première fois depuis la nuit fatale, le désespoir l'envahit. Ses nerfs, qu'elle a su dominer tant que les enfants ont été auprès d'elle, cèdent maintenant qu'ils s'en vont pour toujours. Les voir partir est un véritable déchirement. Seul, le temps adoucira sa peine, repoussant peu à peu dans un coin de sa mémoire les souvenirs beaux et tragiques liés au *Titanic*.

Paris, 14 avril 1997.
Quatre-vingt-cinquième anniversaire du naufrage du Titanic.

POSTFACE

L'histoire que vous venez de lire (ne commencez pas par la postface, attendez d'avoir tout lu) est une histoire vraie. Les souvenirs de mon père, très fragmentaires, ont aiguisé depuis ma petite enfance une curiosité inextinguible sur le grand événement qui perturba profondément l'histoire de notre famille et auquel, par un juste retour des choses, ma génération et les suivantes doivent d'exister. Ces souvenirs étaient réduits à la portion congrue : le mal de mer lors de la traversée de la Manche pour rejoindre Londres, la promenade sur le port de Southampton au pied de l'immense muraille du *Titanic*, les œufs servis sur le grand plat d'argent dans la salle à manger de seconde classe, l'immensité du pont-promenade et les chaloupes accrochées aux bossoirs, le message ultime confié à Lolo pour sa maman, l'adieu du petit garçon à son père resté sur le *Titanic*, la glace flottant sur la mer autour des chaloupes, l'ascension terriblement vexante sur le *Carpathia* dans un sac de pommes de terre et, pour finir, la vaisselle d'or de Margaret Hays à New York. J'avais envie de tout apprendre sur cette histoire.

Pour que me vienne l'idée de reconstituer l'épopée vécue par mon grand-père, mon père et mon oncle Edmond, il a fallu un précieux concours de circonstances.

En 1976, mon père reçut une lettre qui joua le rôle de déclencheur. Un certain Sydney Taylor lui annonçait qu'il survolerait bientôt la France en ballon et que, si mon père n'y voyait pas d'inconvénient, il ferait bien une halte à Montpellier pour lui rendre visite. « Tu ne te souviens certainement pas, mon cher Michel, lui écrivit-il, que tu as passé trois semaines avec ton frère Edmond dans notre famille à Boston en avril-mai 1912. En ce temps-là, nous ne connaissions que vos surnoms de Lolo et Momon. Miss Hays, une jeune amie de mes parents, vous avait confiés à eux le temps qu'elle retrouve votre mère. Vous n'avez logé chez elle que les deux ou trois jours qui ont suivi votre arrivée à New York. Le reste du temps, vous l'avez passé chez nous. J'avais six ans et j'étais l'aîné de quatre enfants. Je me souviens de vous comme si c'était hier. »

313

Et puis il y avait encore autre chose, si incroyable que je ne l'ai pas raconté dans ce livre parce que la vérité dépasse la fiction et que personne ne m'aurait crue. Sydney racontait dans la même lettre que les petits Taylor avaient une baby-sitter du nom de Caretto, une jeune Italienne originaire de Gênes, venue passer un an à Boston pour apprendre l'anglais. Caretto, cela ne vous dit rien? Eh bien c'était la cousine germaine de Marcelle! Et elle contribua fort efficacement à la reconnaissance des petits Navratil.

Donc, mon père, Michel Navratil, le petit Lolo de l'histoire, accepta avec enthousiasme la proposition de Sydney. Celui-ci, alors âgé de soixante-dix ans, descendit du ciel en ballon et lui apporta en cadeau un petit recueil tapé à la machine dans lequel il reconstituait toute l'histoire de Lolo, Momon et Marcelle à New York. Il avait consulté les archives de la Children's Aid Society, interrogé ses vieux parents et tout scrupuleusement noté. Grâce à lui, tout un pan du passé renaissait pour mon père et pour moi. L'impulsion était donnée. Il suffisait de travailler à rebours, en consultant les nombreux ouvrages déjà parus sur le *Titanic* et en dépouillant la presse de l'époque.

J'ai donc écrit un premier livre sur cette histoire, paru chez Hachette en 1981. Il s'adressait aux adultes mais aussi aux enfants. Mais mon père s'était opposé à ce que je raconte toute la vérité, alors il y avait beaucoup de choses inventées. C'était un roman.

C'est seulement récemment que mon père, très

sollicité par les médias parce que le *Titanic* était redevenu d'actualité avec la merveilleuse épopée de la découverte de l'épave, commença à parler publiquement de son père et de sa mère, et des raisons de leur brouille. C'est pourquoi j'ai réécrit leur histoire, avec les vrais noms et les vrais événements. Ce livre s'adresse aux enfants mais aussi aux adultes.

En fait, c'est en partie le même livre, mais ce n'est plus tout à fait un roman. Ce n'est pas non plus un véritable récit biographique car j'ai pris certaines libertés avec les événements historiques. Entre autres choses, j'ai situé à dix-neuf heures l'arrivée du *Titanic* à Queenstown alors qu'elle eut lieu à onze heures du matin, cela rendait la situation plus remarquable pour les héros.

Par ailleurs, il manque de nombreux maillons dans cette histoire (ceux qui auraient pu les restituer sont morts), si bien que j'ai dû les reconstituer par l'imagination. Je n'ai pas connu mon grand-père, et pour cause, et je n'ai vu qu'une seule fois dans ma vie ma grand-mère et mon oncle, peu avant qu'ils ne meurent. J'ai longuement regardé leurs photos, celle de mes arrière-grands-parents Angelina et Antonio et celle du marquis Rey de Villarey, le parrain de mon père. J'ai souvent interrogé ma sœur, Michèle. Elle avait beaucoup d'informations transmises par notre famille maternelle qui avait bien connu les grands-parents et Marcelle. Le reste, je l'ai imaginé en essayant de me mettre à la place de ceux qui avaient vécu ce drame. Par exemple, pour décrire en détail le *Titanic* et ses merveilles, pour faire évoluer les *trois* Navratil dans les *trois* classes de passagers (en réalité, jamais ils n'auraient pu accéder à la première classe, même invités par leurs amis), j'ai inventé *trois* personnages : Mirella, Trevor et Charles Bedford. Tous les autres ont existé, même si je les ai présentés de façon romancée : ainsi tout ce qui a trait à Olaus Abelseth a été imaginé.

J'ai également inventé l'épisode où Lolo se trouve enfermé en troisième classe parce que je ne comprenais pas ce qui avait empêché mon grand-père de mettre les enfants en sécurité sur l'un des premiers canots de sauvetage en partance, puisqu'il y avait accès. Maintenant je pense qu'il devait espérer pouvoir partir avec eux et qu'ainsi il a attendu la dernière minute. Mais si Lolo n'avait pas été prisonnier, comment aurais-je décrit la panique en troisième classe ? Il fallait bien que quelqu'un y assiste ! Et puis qui sait si je n'ai pas deviné la vérité ?

Les quatre Navratil de mon histoire sont réels et imaginaires à la fois. Réels, parce que, à quelques détails près, leur histoire est vraie. Imaginaires, parce que j'ai réinventé leur caractère, en particulier celui de mon père, Lolo, qui ne s'est jamais intéressé à la technique et aux machines mais est devenu professeur de philosophie.

En espérant que ce livre vous a procuré plaisir et émotion, bien amicalement à vous.

Onnens, le 3 août 1997

ÉLISABETH NAVRATIL.

REMERCIEMENTS

Un immense merci à mon mari, Jean-Paul
Bouillon, à nos amis d'Onnens, Madeleine
et Christian Müller, qui ont si amicalement
abrité et favorisé la gestation de ce livre,
et à Constance Joly qui m'a incitée à le
réécrire, l'a relu à plusieurs reprises et
m'a donné de précieux conseils pour
l'améliorer.

Mon admiration et mes remerciements
à Jean Jarry, P.-D.G. de l'IFREMER Toulon
et chef de l'équipe française de l'expédition franco-américaine qui découvrit
l'épave en 1985, et à Paul-Henri Nargeolet,
qui a eu le bonheur de contempler le
premier, à bord du Nautile, ce paquebot
mythique, magnifique cimetière marin
reposant par 3 870 mètres de fond.

Ma gratitude à Olivier Mendez pour la
générosité dont il fait toujours preuve
dans sa passion désintéressée pour le
Titanic.

Ma reconnaissance à Sydney Taylor,
aujourd'hui décédé qui est à l'origine de
ce livre.

TABLE

IMPRIMÉ EN FRANCE PAR BRODARD ET TAUPIN
Usine de La Flèche, 72200.
Dépôt légal Imp. : 1539T-5 – Edit : 9951.
32-10-1545-06-6 – ISBN : 2-01-321545-2.
Loi n° 49-956 du 16 juillet 1949 sur les publications destinées à la jeunesse.
Dépôt : juin 1998.